デジタル・AI時代の○○力

テンシャル

JN023824

南雲堂

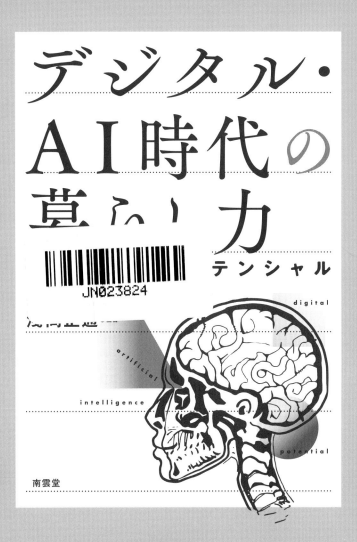

digital

artificial

intelligence

potential

はしがき

　20世紀後半から始まった日常生活に深く関わる家電等のデジタル化。今やこの時代に生まれ出でた子供たちは，デジタル製品一色に染まった生活を自然とし，特に違和感を覚えることもなく成長してゆく世代と言えます。そんな彼らのことを米国のマーク・プレンスキー氏は，2001年に発表した論文の中で「デジタルネイティブ」と呼び称しました。一方，人生の途中からこの異質な世界への参入を余儀なくされた人々を「デジタルイミグラント」と定義付けたりしています。実に言い得て妙な呼び名であると頷く次第です。ただし，時の移ろいとともに，いずれはデジタルネイティブのみの時代が到来するわけですから，こういった言葉が消失しゆくのも時間の問題かと思われます。そして，今度はAI（人工知能：Artificial Intelligence）技術の目覚ましい進展により，ポストデジタル時代の本格到来を予兆する昨今です。「ポストデジタル」といっても，AIはデジタル技術を背景に画像処理，音声認識，機械翻訳をこなしながら深化しつつあるわけですから，決してデジタル時代が終焉するのではなく，両者はますます密接不可分な関係性を維持しながら社会変革に関与してゆくことでしょう。

　ちなみにAIの象徴的な成果として，人に代わってコンピュータに業務代替させる技術であるハイテク知能ロボットPepper（ペッパー）はつとに有名です。今や携帯ショップはさることながらお寿司屋さんなどの飲食店でもお客を出迎えたりし，更に街中のショッピングモールでは愛嬌をふりまきながら，ロボットにあるまじき商魂逞しさで，行き交う買い物客を巧みな言葉と仕草で引き付けてやみません。また，フランスのパリに本社を置くアルデバランロボティクス社が設計，生産，販売を行っている自律型ヒューマノイドロボットNAOは，単なる音声認識にとどまらず多言語認識が可能であり，かつ物体検出及び二足歩行で歩み寄って握手までしてくれることから，言語と非言語が操れる双方向コミュニケーション可能な対話型ロボットとして注

目を集めています。そしてまた，これらのデジタル技術とAIとの親和性によって教育や学びの世界も一変しつつあります。多彩な機能を搭載したデジタル教科書の学校教育現場での導入はさることながら，一部ではAI搭載型ロボットを活用した外国語学習もが試行的に実践され始めている昨今です。日常的な生活場面とて決して例外ではありません。通勤や買い物，そしてレジャーと，今や日常的に使う車。現在話題となっている自動運転技術は，まさにAIを根幹として成り立っているのです。近未来の暮らし場面が，一体どのような空間になり得るのか，大いなる興味・関心を抱くと同時に，なぜか一抹の不安を隠しきれないのは，デジタルイミグラントである筆者だけなのでしょうか。

　振り返って，現代社会とは，高機能カーナビ，家庭用掃除ロボット，自動翻訳機，スマートスピーカーといった労を介することなく用が足せるデジタルツールに満ちており，更にこれ以上の利便性もが必要なのかとの疑念がちらつく社会です。確かに，米国で事故に遭遇し，「ヘイ，Siri」と叫んだおかげで救急車が出動し，奇跡的に一命をとりとめた被害男性の話は有名ですし，また昨今車に搭載される全方位対応ドライブレコーダなどは後々のトラブル回避に大いに威力を発揮したりします。人間社会における実生活に散見される不便さをことごとく解消に向けて実効発揮する現代テクノロジーは過去に比類なき文明のファシリテータと言えそうですが，「過度なまでの利便性に富む社会」とは，偉大な歴史学者であるアーノルド・ジョセフ・トインビーが示唆したローマ文明他の衰退にみられるように，時に人間の精神腐敗にも結び付きかねません。とりわけ，人間的な感化を柱とした教育・学習環境においては，知情意の連鎖発達をしっかりと鳥瞰した上で，科学技術の最たる成果と折り合いをつけてゆかねば，バランス感覚の失われた人間の量産につながりかねません。

　本書は，まさにそのような不安を背景に，人間教育の視点に立ち戻り，現代という時代空間，すなわちデジタル・AI時代によって今後志向される暮らし空間が果たして本質的な人間成長への糧となり得ているのかを改めて問い直してみようと動機づけられて編んだ書と言えます。時代に馴染まぬからと葬り去られていった，または葬り去られようとしている旧来的な教育及び

学習手法，更には旧来的な日常生活場面での暮らし手法も，あえて先達が点と線で紡いできたアナログ知でもあります。その本質的な秀逸さに迫ると同時に，時代の趨勢に順応しながら現代的なその復権と運用展開を提案することで，現代社会での暮らしの深化に一石を投じたく示唆を目論んだ次第です。転じて，本書が，平成から令和へと衣を替え，ますます混迷しゆく科学技術と人との望ましい関わりへの一助となれば幸甚です。

　最後に，本書完成まで電話やメールを通じて逐次適切に，また懇切丁寧にご指導いただきました南雲堂の伊藤宏実氏，堀田華氏，中西史子氏のご尽力なくしては本書完成には決して至りませんでした。心よりここに御礼申し上げる次第です。

2019 年（令和元年）12 月吉日

編著者 淺間正通

目　次

はしがき

第Ⅰ部　アナログ知の学習ポテンシャル

第Ⅱ部　アナログ知の教育ポテンシャル

第 I 部

アナログ知の学習ポテンシャル

グローバル・エイジの辞書リテラシー
―電子辞書の再普及に学びの本質を問う―

淺間　正通

1.　電子辞書市場の浮沈

　家電量販店に足を運んでみると，実に新規性に富んだデジタル機器に目を奪われる昨今です。中でも各種電子メディアとの対応性を柱に，多様なコミュニケーションを是とする新型モバイル端末の革新ぶりには，デジタル革命のなせる業と痛感させられる次第です。情報化スピードはイコール国際化スピードでもあり，また現代にあってはグローバル化スピードとも換言可能かもしれません。これらのツールによって，見事なまでに時間・空間・距離が圧縮され始めているのですから，まさにデジタル・AI時代，ひいてはグローバル時代の象徴体と言えそうです。

　電子辞書とても決して例外ではなく，スマホやタブレットとの連携機能を強化した製品までもが専用コーナーに鎮座するようになってきました。果たして辞書引きに，そこまでの付加価値が必然なのかと，いささか首を傾げざるを得ないところです。いずれにせよ，時代の趨勢を映してか，昔ながらの印刷体（冊子版）で辞書引きしている人の姿を見かけることもすっかり稀有になってきました。それも道理で，2000年を境に高度情報社会の特質技術たるICチップの恩恵（超小型・大記憶容量・演算機能）にあずかって，急速に電子辞書（以下，本稿では「IC辞書」を指す）が市場を席捲し，今では電子辞書自体，持ち歩きにかさ張るからとスマホ検索による辞書引き代替が定着しつつあるからです。古来より人間の知の営みを下支えしてきたアナログ辞書は，その影を着実に潜めつつあり，環境に優しいペーパーレス化の流れもあいまって，いつの日か消失しゆくのではないかとその行く末を案じる次第です。

　ちなみに，一般社団法人 ビジネス機械・情報システム産業協会が 2018 年 2 月に発表したデータによると，[1] 2007 年の 280 万 5 千台をピークに，電子辞書の国内出荷台数は右肩下がりに下降し，2017 年では 101 万 4 千台にまで落ち込んでいます。携帯性・多機能性・操作性に秀逸するがゆえに皆に愛されてきた電子辞書ですが，コスト・パフォーマンスに加えて辞書データのコピペや翻訳までもが可能なスマホの万能振りを勘考すると，新たな辞書引きスタイルへの一般ユーザーのシフトも頷ける次第です。

2.　いま電子辞書市場が再びあつい！？

　しかし，ここに来て状況に異変が生じ始めています。昨年（2018 年），電子辞書の出荷台数が実に 11 年ぶりに前年度比を 8.5％上回り，110 万台へと増加に転じたのです。[2]

　その背景には，一体どのような社会要因が関わっているのでしょうか。やはり，2020 年 4 月より始まる小学校英語の「教科化」を看過して語ることはできなさそうです。これまで外国語活動として行われてきた小学校英語ですが，ついに高学年（5・6 年）にあっては，算数や国語に並ぶ教科として新たなステージに突入することになったからです。これを見据えて主要電子辞書メーカーも今まで以上にカラフルかつ見やすく，操作もしやすく，書き込みもでき，そして発音録音までできて正しい音を学べるマルチ学習対応機種を投入し始めています。中にはアニメ教材までもが収録された機種も存在したりと，驚くと同時に最早電子辞書の概念を越えたとの思いを厚くするほどです。もちろん，理科や社会などの各種参考書も従来以上に充実収録されて学習者（消費者）アピールに余念がない仕様となっているのは言うまでもありません。

　従来の小学校外国語活動の域では，聴いたり話したりする活動がほとんどでしたが，これからは，いわゆる「読んで」（Reading），聴いて（Listening），書いて（Writing），話す（Speaking）といった 4 技能の指導も総合的に授業の中で取り扱われていくようになります。新たな市場の可能性をいち早く察知した電子辞書メーカーの目算ともあいまって，「使える英語」「英語力強

化」を謳い文句とした保護者向けのデモ展示も好評で，また小学校現場での授業導入事例も増えていることから，今後は塾産業までをも取り込んで『小学校英語元年』に向けた消費者ニーズは更に多様化してゆくのかもしれません。無論，プチ加熱現象に留まる可能性も大いにありそうですが，少なくとも学習ツールとして小学生たちにまで下りてきた電子辞書の行方に無関心ではいられなさそうです。

3.　「学び」の実用性に勝るのは
3.1.　問題意識先鋭化の端緒

　それにしても，「デジタル学習ツール」「Web 教材」「e ラーニング」「AI学習」，更には「ディープラーニング」[3]といった新時代の学びに，直接・間接に関わるキーワードが目や耳に飛び込んでくるたび，筆者のようなデジタルイミグラント（デジタル入植者）[4]にとっては隔世の感を否めません。確かに，あらゆる物がインターネットとつながる IoT（Internet of Things），更には人工知能（AI）技術の実社会浸透を俯瞰した一連の IT 革命により，ペーパーレス学習，遠隔学習，自律学習といった時代に優しい学び方革命もがもたらされつつあります。しかしその一方で，それらに依拠した学習の実効が格段に得られているのかと問えば，各種関連学会での発表や論文，また書籍等でも際立った成果の実を目にしたり，耳にしたりするのはいまだに稀です。改めて「学びの淵源」の奥深さを知る思いです。とは言っても，やはりその実用性に関しては何らかの形で「見える化」が図られねば，学習に資するのか，それとも楽習に留まるのか，内発的動機付けとの関わりで大いに議論の的となりそうです。

　そこで，前述の検証対象の括りに伍してよいのかいささか疑問なところはありますが，ペーパーレス化した電子辞書媒介学習の場合には，果たして如何様な変容がみられるのか少しく私的実践を紹介することで，一連の機器依存学習・ネット依存学習への問題意識発揚の契機としてみたいと思います。その前に，今一度印刷体辞書をアナログ版，電子辞書（スマホや辞書アプリ含む）をデジタル版として，その長短を抽出整理してみることにします。

表1：アナログ辞書・デジタル辞書の長短比較

（両者の平均的特徴を調査して筆者がオリジナル作表した）

特質	アナログ版	デジタル版	＊注釈
廉価性	３千円代〜	１万円代〜	
携帯性	かさ張る	容易	
迅速性／操作性	遅い・シンプル	速い・＊複雑	習熟次第
一覧性	連続的	分散的	
耐用性	長い	＊断定不可	電池交換等使い方による
（結果の）保存性	なし	＊あり	検索履歴として残る
編集性	書き込み可能	データ編集可能	
機能性	独立型	＊集合型	多機能フルコンテンツタイプ

　上記の表を眺める限り，両者各々に一長一短がありそうですが，やはり効率性重視の現代情報社会の中では，デジタル版の方に大いに分がありそうです。とはいえ，特質欄のカテゴリー自体はいずれも学習成果としての実効と直接関わるものではないので，その実質を探るには評価連動させたエビデンスが求められるところです。

3.2.　実用性から仰視してみると

　前節で実用性の視点を話題にしましたが，この「実用」という語義を，手元にある印刷体辞書『広辞苑 第六版』（岩波書店，2008年）で紐解いてみると，「実地に用いること」「実際に役立つこと」とあります。またシャープのIC辞書Brainに収録されている『スーパー大辞林3.0』（三省堂）にて検索してみると，今度は「実際に役に立つこと」「実際に用いること」と出てきます。語義出現順序こそ逆転していますが，どうやら他の辞書を参照するまでもなく語義的にはこの二義に集約されそうです。ただし，「使う」と「役立つ」では意味が大いに異なります。利便性に富む学習ツールであっても役立たねば宝の持ち腐れです。では，印刷体辞書と電子辞書，果たしてどちらが役立つかと問われれば，アナログ版かデジタル版かの形態こそ違えども，その質に真逆性などあるはずもなく，「どちらも役立つ」と答えるのが妥当

なところでしょう。要は，それぞれの「使い方」・「使われ方」の問題に帰結すると言っても過言ではない気がします。

3.3.　実験で得た私的な知見

そこで，筆者なりの問題意識に拘泥して，過去に簡易な英単語検索実験を被験者（国立大学2年生）に実施してみたことがありますので，ここで略述してみることにします。

それは，印刷体辞書であっても電子辞書であっても，双方共に一般には第3番目以降に出現する語義を英文に位置付けて，印刷体辞書活用グループ（以下，印活派）41名と電子辞書活用グループ（以下，電活派）41名に分けて辞書引きさせるという実験でした。[5] もちろん，両グループとも英語の学力においては均質であることを証明した上での実験です。ここでは紙面の都合で問題文中の一部のみ例示紹介することにしますが，実際には10個の英文（単文）を辞書引き翻訳させるといった作業でした。

【検索対象語彙を位置付けた問題文の一例】

The economist <u>observed</u> that the trade deficit would be worse this year.
（その経済学者は，今年貿易赤字は更に悪化するであろうと<u>述べた</u>。）

結論から言うと，電活派の方が圧倒的に下線部の多義語処理に適切性を欠き，「見出した」「観察した」との解釈で処理する者が多かったのです。また，解答処理開始時刻と終了時刻も紙面に記載してもらったのですが，電活派の解答時間が印活派に比べて圧倒的に短かったのは言うまでもありません。

3.4.　一対一は対等に非ず

では，この結果が示唆するのは一体何なのでしょう。その差異を明確にし得るには精緻な分析手法に頼らざるを得ないのですが，処理時間から考えて，電活派に例文検索の手続きを比較的怠っていた痕跡が散見されるところをみると，「印活派は，その一覧性に富む特質からコンテキスト（文脈）に配慮しながら辞書引きしていたのに対し，電活派は，ディスプレイ上に表出した

検索結果の初出語義に安易依存してしまった」との説明が合理的なようです。言うなれば，電活派は，辞書引きにおいて得られた結果としての初出語義と検索対象英単語を一対一で関係付けてしまった点が誤訳として顕現してしまったと言えそうです。実は，当該実験にあってはむしろそこが思量結果の根拠となっていましたので，意図的に辞書上に表出する 3 番目以降の語義で使用されている英文を質問紙に位置付けた次第です。ある程度，予測結果と合致した理由ですが，補足説明しておきたいことがあります。それは，比較的英語力の高い被験者にあっては，前述の現象の痕跡がさほど顕在化していなかった点です。すなわち彼らにあっては，いわゆる一語一訳（one-to-one equivalent）の罠に嵌ることなく印活派の辞書引きに比較的近い処理を行っていたのではないかと推察されました。

　なお，もう一つ補足説明しておきたいことがあります。実は印活派が電活派に数値的に勝った別のデータがあるのです。それは，前述の検索対象英単語の意味を 1 週間後にはどちらがより多く保持できていたかという調査結果です。偶然かもしれませんが，かなりの割合で前者がリコール（想起）を可能としていたのです。あくまでも短期記憶を前提とした推測にすぎませんが，綴を意識しながら検索対象語の掲載位置を求めて頁を捲る作業を行った印活派の方が，数文字のアルファベット入力ですぐにも候補がリスト化される電活派より記銘保持効果に秀でたのでないかという解釈です。実際には，印活派にも幾人かは存在していましたが，電活派の方が多義語を的確に処理しきれなかった現実を斟酌すると，なぜか利便性に富むツールに寄せる意識も，本来的に備わっている実用機能への蒙昧が災いし，「安直」を志向しているように思われてなりませんでした。

　ちなみに，以前諸外国の早期英語教育の実態を調査したことがありましたが，何処の国にあっても生徒たちが電子辞書を机上に置いて授業対峙している姿を見たことがありません。その代わり，北欧諸国の場合には，ひとたび生徒たちが未知語遭遇して理解に苦しんでいる際には，教師が間髪入れずに幾重もの表現を駆使してパラフレーズしている姿が印象的でした。未知語の意味を帰納的に導き出させるその自然な教育スタイルに，彼の国々の生徒たちの国際水準を遥かに凌ぐ学力の高さの所以を再認識した思いでした。

フィンランドの初等教育における英語授業

　以上，英語を事例に眺めてきましたが，私たち日本人が母語である日本語で未知語検索を行うに際しても，同様のことが言える点を肝に銘じておきたいものです。例えば，つい最近某国の某リーダーが，日本側が某国を輸出管理優遇措置国から除外した際に発した言葉が話題となりました。日本国を厳しく咎(とが)めたその返し言葉の日本語訳が，「盗人猛々(たけだけ)しい」と各種メディアで紹介されたのは記憶に新しいところです。そこで，仮に視聴者が「猛々しい」の意味が腑に落ちず電子辞書検索を行ったとします。すると，「①いかにも勇ましく強そうである。ものすごい。②図々しい。」（スーパー大辞林）と出てきます。そしてもしここで，初出語義に依存したとすると，②の解釈適用との間には，意味領域上のずれが生じることになります。

　電子辞書に罪などないのですが，先述してきたように，利便性に富んだツールとは，その本質特性をしっかりと理解した上で活用してゆかねば，本来的価値を失いかねません。かと言って，またそれを使いこなそうと，硬直性高き PDF マニュアルに頼るのも時間の浪費となります。改めて，「使い方」に対するユーザーの意識の問題が重要と言えそうです。「便利ではあるが，不便な時代でもある」といった気がしてなりません。

4.　グローバルな時代の辞書引き指南

4.1.　TPO に応じた価値づけ活用シフト

　結局，これまで論じてきた視点を総括してみると究極のところ，「紙の辞書に戻りましょう！」となるわけですが，それだと利便性の恩恵にどっぷりと浸かり始めた現代人にとっては至って非現実的な話となります。だからと言って，「電子辞書をしっかりと使いこなせるような教育を早期の段階から施しましょう！」というのも，本稿の主張に馴染みません。とするならば，現実的な対処法が必要となります。

　そこで提案を図りたいのが，時代の趨勢に呼応したスマホや電子辞書の随意的・即時的な調べ学習に奏効する価値を認めながらも，TPO（時・場所・場合）に応じて両者を使い分ける「二元的価値付け意識」を導入し得る学びスタイルの習慣化です。柔軟に活用シフトできる主体的価値判断能力が大切となります。例えば，急ぎの調べに対処しなければならない状況下でのスピードチェック対応なら電子辞書を，また調べたい言葉の周辺に興味・関心を駆られて教養を深めたい場合のラーニング対応なら印刷体辞書を，といった具合です。「調べ」と「学び」に合わせた弁別処理の重要性を認識することは，グローバル化著しい現代社会の中で，政治・経済・外交・文化を巡ってなされる異文化間のデリケートな交流につきものの，言葉の「外延」と「内包」の同一視回避にも役立つ重要な資質なのです。

　古 より先人たちが教え諭してきた読書スキル，すなわち「行間を読む」姿勢を育むのに逆行した辞書リテラシーが涵養されることだけは是非とも避けたいものです。

4.2.　デジタルとアナログがコラボした辞書アプリ

　しかし，この価値付け意識設定にあってもまた，そうそう容易い解法かと問われると，とりわけ専用電子辞書を活用しているわけでもなく，むしろスマホ活用を日々常態化させている昨今の辞書引きユーザーにとっては，甚だ理想の域にとどまってしまう話かもしれません。そういったユーザーをも意識した上で，ここではもう一つの提案を試みてみたいと思います。

　日々スマホの辞書引きに依存している人にとっては，逐次ランダムに辞書サイトに頼るのが一般的かもしれませんが，それだとやはり電子辞書と同様に，ディスプレイの狭小性に付帯しがちな先述の弊害から逃れづらくなってしまいます。そこで，スマホの普及に応じた活用実績こそ得られてはいないものの，デザイン性及び機能面において印刷版の一覧性をそれなりに獲得し始めた「辞書アプリ」の活用を推奨する次第です。スマホに取り込んで検索実行する点では電子辞書の範疇に収まるのでしょうが，例えば『ウィズダム英和・和英辞典 2』アプリ版（三省堂 2,900 円）を使って，本稿で例示した "observe" という語を検索してみると，印刷版のような感覚で用例に接することができます。通常の卓越した辞書機能はさることながら，高速かつ強力な検索性にストレスは感じません。さらに，コラム欄も設けられたりしていて「読み物」「教養蓄積」としても非常に楽しめるアナログ的な工夫も凝らされています。また，同様に本稿で取り扱った【実用】という語を，今度は『新明解国語辞典』アプリ版（三省堂 1,900 円）で入力検索してみると，ビジュアル的にも理解が促進されるようにレイアウトされている特質に気付きます。辞書アプリとは，ある意味で印刷体辞書と電子辞書が融合した新たな学習ツールと言えるのかもしれません。

図1：ウィズダム英和・和英辞典 2 アプリ版と新明解国語辞典アプリ版

（左：物書堂／ウィズダム英和・和英辞典 2　右：BIGLOBE Inc.／新明解国語辞典 第七版　書籍は三省堂刊行）

5. Ｅに先んじるのはやはりＡ

　しかし，何度も言うようですが，読解途上で遭遇する未知語検索に限って言及するならば，まず何よりも大切なのは，未知語が位置付けられているコンテキスト（文脈）を重視した辞書引きプロセスを経ることに尽きます。その手続きを怠ってしまえば，端から当該文章に息づく未知語の生きたニュアンスを推測するための手掛かり（word attack）を失うことになってしまうからです。たとえ，電子辞書の辞書引き操作に完全習熟したユーザーであっても，ディスプレイの狭小画面から的確に文脈の鍵（context clue）にたどり着くには，幾重ものスクロール作業は不可避となります。そして，そのスクロール作業ではせっかく逐次蓄積した理解であっても，視界から一時的に外れてしまうことで断続的理解に陥り，今度は思考の連鎖を停滞させる危険性が付きまといます。

　Ａ・Ｂ・Ｃ・Ｄ・Ｅ，どうやらＥラーニング（ここでは electronic dictionary，すなわち電子辞書学習を指す）に先んじるのはやはりＡラーニング，すなわち五感をしっかりと動員したところのアナログ（analog）ラーニングに尽きるのではないでしょうか。

注

1)　一般社団法人 ビジネス機械・情報システム産業協会『電子辞書の年別出荷実績推移』(PDF).
https://mobile.jbmia.or.jp/market/densi-jisyo-1996-2017.pdf
2)　朝日新聞デジタル「電子辞書の出荷が下げ止まり 小学生にも」.
https://www.asahi.com/articles/ASM6L54YPM6LPLFA00C.html
3)　音声認識，画像認識，パターン認識の分野等で応用されている技術で，データが内包する潜在特徴を捉えて人間が行うタスクを効率的に実行させるためにコンピュータに学習させる技術や手法を指す。
4)　アメリカの作家であるマーク・プレンスキー氏は，2001 年に発表した論文 "Digital Natives, Digital Immigrants" の中で，生まれながらにしてデジタル機器に親しんでいる世代をデジタルネイティブと呼び，人生の途中からそれらに馴染み親しむようになった世代をデジタルイミグラントと呼び称した。
5)　淺間正通「電子辞書とリーディングリテラシー」『日本実用英語学会論叢』No.13，2007 年，pp.61-67.
6)　淺間正通（編著）『小学校英語マルチ Tips』東洋館，2011 年.

自動翻訳を使いこなすための日本語力
―自動翻訳と相性の良い文章作法とは―

山下　巖

1.　自動翻訳時代到来の予感

　昨今，自動翻訳が目覚ましく進化しています。自動翻訳と聞くとポケトーク（POKETALK）などのハンディな携帯型翻訳機を思い浮かべる人が多いかと思います。ポケトークは,「言葉の壁をなくす」というミッションステートメントのもとに 2017 年末に発売が開始され，大きな話題となったことは記憶に新しく残っています。以来，徐々に改良が加えられ，最新版は 70 か国語以上に対応できる優れものとなっています。こうした小型自動翻訳機は持ち運びに便利で，海外渡航時に携行する人も少なくはないと思われます。しかし，こうした翻訳専用の機器は音声入力となっていることが多く，入力された日本語が正しく認識されないこともままあります。例えば，ある人が「ラムネ」を英訳するつもりで入力してみたところ，"It's chewing gum." と表示されてしまいました。そこで別の人が同じ機器に入力すると，今度は正しく "lemonade" と表示されました。結局，最初の人の「ラムネ」という音声は，「ガムね」と認識されていたようです。こうした誤認識は，翻訳機側に問題があるというよりは，むしろ入力者の滑舌の善し悪しであったり，声のトーンやボリューム，発話速度が一定でなかったりすることが原因となっているようです。

　こういった音声入力の不安定さを敬遠してか，テキスト入力ができる Google 翻訳等の自動翻訳ソフトをスマートフォンやタブレット端末にダウンロードして使用している海外旅行者の姿も多く見かけるようになってきました。確かにテキスト入力であれば，音声入力ほどの即時対応は期待できないものの，入力した単語が別の単語として誤認識されてしまうようなトラブ

ルは避けやすくなります。しかし，こういったテキスト入力でさえも時には思ったとおりに翻訳できなかったり，あるいは意図したとおりに翻訳されていなかったりすることもあると聞きます。特に後者の場合は使用者自身が気付いていないことも多く，誤解によるトラブルの要因となる可能性も孕^{はら}んでいます。

　そこで，本稿ではテキスト入力型の自動翻訳ソフトの有効な使用法に焦点を絞り，正しく自動翻訳されやすい日本語文章作法についてのコツを簡単に述べることで，活用時の翻訳精度を少しでも高めるヒントとなればと考え，筆を執ってみることにしました。まずは自動翻訳の仕組みを簡単に見てみましょう。なお，今回は多くの読者の関心に答えてゆけるよう，日英間の翻訳に限って論を進めてゆくことにします。

2.　急速に進化する自動翻訳の仕組み

　数年前までは自動翻訳の精度はあくまで参考程度のものにしかすぎないという声が多く聞かれましたが，その翻訳精度は急速に進歩し，近い将来，人による翻訳は必要となくなる時代がやってくるかもしれないとまで囁かれるようになっています。こうした自動翻訳の進化の背景にあるのは，いわゆる「ディープラーニング（深層学習）」の発達です。読者の皆さんもご存じのとおり，これは大量のデータと答えの例から事例をひたすら学習して，ルールを自動的かつ帰納的に導き出すプログラムを意味します。人間が母語を習得するプロセスと似た方法と言えるかもしれません。つまり，大量の対訳データを解析し，その統計結果から適した訳を割り出す仕組みです。これは人間の脳による言語処理法と似ています。私たちも母語を習得してゆく過程においては，文法規則を学んでから具体的事例を一つ一つ解析しつつ言語学習しているのではなく，言わば大量の対訳データからルールを導き出していると言われています。つまり，文法規則を明示的に知らなくても母語は話せるようになると考えられているのです。

　ほんの10年ほど前までのコンピュータでは，こうした大量のデータ処理は時間がかかったり，不正確となったりしていました。そもそもルールを導

き出せるほどの大量データを集積することすら不可能だったのです。それが，コンピュータのデータ処理速度が格段に進歩し，それと同時にウェブ上に蓄積された大量の言語データや対訳データへのアクセスが可能となると，我々の脳内で行っているような言語処理に近い作業が可能となったのです。

　特に，ここ 2，3 年の間に，単語ごとに対訳データと照らし合わせて翻訳してゆくのではなく，接頭辞や語幹，単語の位置なども考慮し，自然な文の流れを分析して翻訳をすることができるようになってきています。専門的にはこうした手法をニューラル翻訳とかディープニューラルネット翻訳と呼んでいます。自動翻訳の精度の飛躍的向上にはこのような開発者たちの努力が見え隠れしています。

3.　自動翻訳の落とし穴

　前章で述べたように，自動翻訳は海外旅行者にとって心強い味方となることは間違いありません。同時に，使用者は 100％の翻訳精度を期待できないことも自覚しておく必要があります。確かに，シンタックス（文構造）や語彙がよく似たヨーロッパの言語間などでは自動翻訳の精度は高くなります。しかし，日本語の場合は似た文構造を持つ言語が少ない上に，くだけた表現や擬態語なども多く，自動翻訳が困難な言語と言えます。ビジネスや科学のような明確なコンテキストにおける翻訳であれば，適切な訳語が出てくる可能性は高まりますが，辞書のようにノーコンテキストで単語一つを翻訳するだけだと，単に使われる頻度の高い訳語を選択する可能性が高くなります。また「ごはん行く」といったような最近使われ始めた口語表現をGoogle 翻訳に入れてみると，"go rice" や "go to rice" となってしまうことが往々にしてあり，翻訳ソフトが未対応であることが分かります。また，オノマトペ（onomatopoeia：擬態語）となると，機械学習が追い付いていない場合が往々にしてあります。例えば，少し古い「メッチャきれい」は，"so beautiful" と無難に訳してくれますが，比較的新しい「ガチで」になると"Gachi" となるだけで，全く翻訳エンジンが追い付いていません。こうした問題は，機器やソフトの改善・向上により，今後早いうちに解決されてゆく

ことが期待できますが，現状ではいまだ起こり得る問題です。自動翻訳といえども万能とは言えないのです。

4. 自動翻訳との付き合い方
－自動翻訳ソフトに好かれる日本文作成のポイント

どういう日本語が思いどおりの英語にならないのかを調査する目的で，筆者が教える 10 名の大学 2 年生に英語プレゼンテーション準備を補助する目的で Google 翻訳を 7 日間試用してもらいました。そして意図どおりに正しく翻訳されなかったケースを報告してもらいました。それらをまとめてみると，翻訳精度を上げるには，以下の 3 通りのコツがあることが分かりました。

① 一つの文には一つしか情報を入れない。
② 文の主述関係を明らかにする。
③ 慣用句や流行言葉の使用は避ける。

以下，順を追って実例を挙げながら検証してみましょう。

4.1. 一文につき一情報に限る

日本語の場合には，一つの文章に複数の情報を詰め込み効率化を図ることが可能となりますが，かえってこのことが自動翻訳による翻訳精度を下げる要因となることが多くあります。一つの文を長くすると，知らず知らずのうちに意味が不明な接続詞を用いてしまうことにつながりやすいからです。例えば，英国旅行中にイギリス人とサッカーの話題になり，「海外で活躍する日本人サッカー選手は大勢いるが，中でもプレミアリーグでプレーした岡崎は別格でした」と発言したくなり，グーグル翻訳を使ってみたとしましょう。言葉どおりに入力すると，"There are many Japanese soccer players active overseas, but Okazaki who played in the Premier League, is exceptional." という訳文が得られます。一昔前の翻訳サイトによる訳文を基準とすれば，なかなかの出来栄えです。しかし，日本文中の「が」を逆説と捉えて訳出された but がどうしても気になります。そこで「が」を用いて節をつなぐ代わ

りに，二つの文に分けて再度翻訳を試みるとどうなるでしょうか。また前半部分の many soccer players active overseas が果たして構文上正しいのかどうかが不明です。そこで「海外で活躍する日本人サッカー選手は大勢いる。中でもプレミアリーグでプレーする岡崎は別格でした」とするとどうなるでしょうか。"Many Japanese soccer players are active overseas. Among them, Okazaki, who played in the Premier League, was exceptional." 今度は当然ながら but が消え，極めて分かりやすい英文に訳出されました。このように日本文を作成する段階から，あらかじめ不要な接続詞を用いずに二つの文に区切ってしまう方が自動翻訳とは相性が良いようです。

　では，次の例ではどうでしょうか。今度はインバウンド旅行者から台風の被害について聞かれ，「今年は多くの台風が上陸し，農家は甚大な被害を受けており，政府は早急な対策を求められている」という内容の回答をすることになったとします。この日本語をそのまま打ち込んでみると，"Many typhoons landed this year, farmers have been severely damaged, and the government is urgently required to take countermeasure." という訳が得られました。逆に今回は接続詞がないために，this year, farmers の部分が不自然なつながり方となり，何となくぎこちない感じがします。そこで「今年は多くの台風が上陸した<u>ため</u>，農家は甚大な被害を受けた。<u>そのため</u>政府は早急な対策を求められている」と因果関係を明らかにする接続詞を付け加えて訳出するとどうなるでしょうか。"This year many typhoons landed, causing serious damage to farmers. So the government is required to take immediate countermeasures." となり，台風上陸と農家への被害の因果関係が明確に訳出され，更に so が入ったことで and よりも政府の対応方法もより機敏なものに感じられるようになりました。

　以上示してきたように，迂闊（うかつ）に用いられている意味が明確でない接続詞を削除して二つの文に分割すると効果があることが分かります。逆に日本人であれば，接続詞を用いなくとも意味的関連性が理解できる節と節のつながりの場合には，同じく複数の文に分けて書き換えると同時に，文間に接続詞を入れることにより因果関係を明確化できるため，自然な英文訳を得ることが可能となるのです。一文を短く簡潔にし情報を減らすことで，翻訳ソフト側

の読み違えを防ぐことができます。慣れるまで少し時間はかかりますが，翻訳の精度は格段に上がるように思われます。

4.2.　主述関係を明確にする

　日本語は主語を明記せず，文脈から主語を推察することが多い言語です。これに対し英語は，主述の関係を重視する言語です。明確な主語を入れて日本文を作成することで翻訳精度を高めてゆくことが可能となります。

　次の日本文を Google 翻訳してみましょう。「あと 30 分もすればロンドンです」。すると，"London is 30 minutes more." と回答してきました。"London is 30 minutes away." となれば申し分ありませんが，この訳は不自然な感じがします。これを，「私たちはあと 30 分でロンドンです」と主語を明確にして再入力してみることにしました。今度は "We will be in London in 30 minutes." と，かなり精度が高く自然な訳が実現できています。

　さらに，無生物主語を使用してみるのも一案です。「その少年は味噌汁の味で母を思い出した」を Google 翻訳すると，"He remembered my mother with the taste of the miso soup." となります。どうして my mother となるのかは判断がつきませんが，この日本語を「その味噌汁の味は彼に母を思い出させた」と高等学校の授業でよく習う無生物主語構文に書き換えて翻訳を試みると，今度は "The taste of miso soup reminded him of his mother." と正しい指示代名詞の所有格が mother の前につきます。やや硬い日本語表現となってしまいますが，正確な翻訳を行うには上記のような無生物主語の日本文を作成する方が効果的となります。このような原文を作るためには，ある程度英語の感覚が必要になってきます。日頃から英語学習に慣れ親しんでおけば，原文作成の際の応用力にもなってゆくことが期待できます。

4.3.　慣用句や流行り言葉の使用はできるだけ避ける

　ここでは，最近よく耳にする気の利いた慣用表現を自動翻訳してみたらどうなるかを見てゆきましょう。筆者がランダムに独断で選んだ次の五つの表現を Google 翻訳にかけてみました。

① その仕事は彼にとって<u>ハードルが高い</u>。
② 昨日の料理は<u>ふつうに</u>おいしかった。
③ このアイデアをルールにまで<u>おとしこみなさい</u>。
④ あの高級レストランは我々には<u>敷居が高い</u>。
⑤ この人のギターテクニックは<u>やばい</u>。

以下のような結果が得られました。

① The work is <u>highly hard</u> to him.
② Yesterday cuisine was <u>usually</u> delicious.
③ <u>Drop</u> the idea <u>into</u> rules.
④ That fine restaurant is <u>high</u> in the present.
⑤ This man's guitar technique is <u>dangerous</u>.

　①の訳では,「ハードルが高い」が「難しい」という意味であることを汲み取って,まずまず通用する英訳であると思われます。しかし,② 以下は日本語をそのまま英語に訳しただけのもので,意味をなさない程度にとどまってしまっています。わずか五つの例からだけで一般化することは不可能かもしれませんが,これらを見る限り,新語あるいはそれに近い流行語的な表現は,まだ自動翻訳ソフトが追い付いていないと考えられます。したがって,こういう表現は,直接翻訳にかけるのではなく,なるべく別の言葉に置き換えて入力してゆく方が正確な訳が得られるということになります。例えば,「敷居が高い」の例文であれば,「あのレストランは我々にはあまりにも高級すぎる」と書き換えて入力すると, "That restaurant is too expensive for us." という英文が得られる結果となりました。また,「やばい」は若い人たちの間では,「すごく良い」という意味で使われることが多いため,それを考慮して翻訳すると "That man's guitar technique is unbelievable." ということになりました。

5.　自動翻訳か外国語学習か

　年を追うごとに自動翻訳の精度が向上してゆくことは，専門家の意見を待たずとも予想に難くありません。少々舌足らずな日本語や流行り言葉を打ち込んでも，また，不明瞭な発音で入力したとしても，思いどおりの訳文が得られるようになるでしょう。往来で外国人から話しかけられても，やおらポケットからスマホを取り出せば事足りる時代は，すぐそこまでやってきています。それこそ複数桁の掛け算や割り算の答えを求められたときに電卓を取り出すのと変わらないと主張する専門家もいるほどです。確かにある道具的目的を達成するだけなら，電卓と同列に考えても違和感は生じないでしょう。また，海外渡航先で見たこともない単語や表現に出くわしたときに，自動翻訳機やスマホを取り出して意味を確かめることも可能です。ヘルシンキの街で英語からの類推が効かないフィンランド語の単語の意味をどうしても知りたい。例えば，ravintola（レストラン）という1語の意味が分かりさえすれば万事がうまく運ぶ。こうした一寸した不便さを補うには自動翻訳は大きな力となるでしょう。翻訳精度が更に上がり，スマホ1台あれば容易に情報授受ができる時代が近い将来やってくることでしょう。そうなれば，もはや外国語学習は必要なくなるという極論まで出始めました。しかし，むしろ自動翻訳により外国人とのコミュニケーションの楽しさを知れば，外国語学習への動機づけが高まり，外国語を学習し始める人が増えるのではないでしょうか。外国語学習の目的はコミュニケーション能力を高めることにあります。したがって，自動翻訳というツールへの依存はあくまで補助的にし，たどたどしくも自力で外国語を話そうとする人が増えてゆくことを大いに望みます。

参考文献

　落合陽一『日本再興戦略』幻冬舎，2018 年.

音読と暗唱
―今再び見直したいその学習効果―

小川　あい

1.　デジタル技術の進展と視覚依存文化の到来

　総務省の情報通信白書によると，スマートフォンの世帯普及率は 2017 年に 75% を超え，パソコンの普及率も 70% を超えています。[1] また，文部科学省が 2017 年に公開した全国学力・学習状況調査によると，小中学生の過半数は，平日でも 1 日 1 時間以上，パソコンや家庭用ゲーム機，スマートフォンなどでテレビゲームをしていることが報告されました。[2] 平時のコミュニケーション場面では SNS，学び場面では e ラーニング，遊び場面ではヴァーチャルゲームなどが私たちの日常に浸透するにつれて，私たちがデジタル画面を「見」て過ごす時間が今までにまして増えています。私たちが画面をスクロールするとき，そこで行われているのは視覚に大きく依存した情報処理です。現代は，まさに「目の文化」（視覚依存社会）となりつつあります。

　視覚による情報処理は聴覚などに比べて一見速く，効率が良いように思えるため，時間のない現代人の要請によく合致します。しかし，看過できない問題も出現しています。テレビゲームが脳の前頭前野（考える，覚える，人の心を思いやるといった活動を司る部位）の発達を阻害するという指摘が近年増えてきました。スマホの使用時間が長い子供たちに大脳に発達の遅れがみられること，スマホに依存する人たちの中に物忘れや意欲の低下など，前頭前野の血流が低下する「スマホ疲労」がみられることも注目され始めています。人々の読書時間も年々減少し，2018 年には大学生の過半数が 1 日の読書時間がゼロと答えています。[3] 大学ではコピペによる論文作成が問題となり，論理的な文章を組み立てて自分の意見を表明することができない大学生が増えています。

2.　今なぜ声の文化が必要か

　近年「目の文化」の興隆著しい日本ですが，実は日本には，古来から「耳」を大事にする文化がありました。幕末に日本を訪れた欧米の外国人は，日本に「声の文化」があることへの驚きを報告しています。子供たちは毎朝先生について四書五経の素読をし，瓦版（現代の新聞）は買われたそばから音読され，街には文字を声に出して読む声が溢れていました。明治になって「黙（目）読」が始められる前までは，いわゆる「音読」が読むときの主体であり，日本には「声の文化」がしっかりと根ざしていたのです。

　ところがその後，明治初めの言文一致運動，大量の書籍の流通，都市化によって，音読は公共の空間から次第に消え去り，読むことが個人的な営みになりました。当時の図書館には「音読禁止」の張り紙までされていたと言います。そのような社会の変化を受けて，教育の場でも，学びの姿が徐々に変わってきました。

　江戸時代には，素読が主な学習スタイルでした。文字の意味も解らぬ3，4歳頃から先生について漢文を音読し，そして暗唱するという学習を通して目指されていたのは，模範文の繰り返し音読，暗唱による作文力の「習得」でした。一転，明治に入ると，義務教育が制度化され，マスプロ型の授業が行われるようになりました。公共の場であえて声を出して読む学習スタイルは鳴りを潜め，専ら黙読による「理解」に重点を置いた教育が行われるようになりました。特に戦後は，素読や暗唱は理解する勉強の妨げになる，として徹底的に排除され，作文力については，一旦文字体系を身に付ければ自ずと書けるもの，と理解されるようになりました。

　幕末の時代には維新に向けて日本が一丸となりました。維新の志士たちは素読を通して文章力を身に付け，各藩の方言が入り乱れる状況の中意思を通わせ，明治という時代を掴み取りました。その背後には，全国の藩校・私塾・寺子屋で行われていた素読（漢籍だけでなく，大日本史などの歴史物，里見八犬伝，俊寛物語などの物語物，葉隠れなど武士道物も素読されていました）の膨大な蓄積があったのです。

　幕末の日本人が限られた学習環境の中で外国の書物を読みこなし，欧米と

対等に渡り合ったのと比べ，恵まれた環境にあるはずの現代の子供たちの読解力（文章の理解力），作文力の低下は深刻な問題になりつつあります。そしてそのことは，考える力の低下，すなわち総合的な学力の低下と密接に関連している気がしてなりません。

　リーディングスキルテストによれば，公立中学校に通う生徒の5割が教科書の内容を読み取れておらず，2割は基礎的読解もできていないという結果が出ています。[4] リーディングテストでは，文章の区切り方，係り受け，指示語が何を指しているのか，語や概念の意味を文脈から論理的に類推する能力などが問われますが，「分析的な理解力の強化」を重視した教育の結果，逆に子供たちの本質的な理解力が低下してきているのは，大いに再考の余地がありそうです。

　現代は，「AI時代」であると言われるようになってきています。インターネットの社会浸透，スマートフォンの一般普及により，調べたければ何でも検索して情報入手できる時代になりました。しかし，そこで求められているのは果たしてどんな力なのでしょうか。知識を詰め込んでテストで吐き出すような単純な記憶力であるはずはありません。今後数十年で9割の仕事をAIが取って代わるようになると叫ばれている現代，生きるために必要とされるのは，自ら考え，発信する能力，特に，発想力，イノベーションをもたらす創造力ではないでしょうか。また，グローバル化の時代，第2外国語の習得も不可欠です。

　幕末の日本人がお互い意思を通わせつつ維新を成し遂げたように，現代に生きる私たちにも音読・暗唱によって培われるコミュニケーション，イノベーション力が，今再び求められているのではないでしょうか。

3. 音読・暗唱の効果

　日本で初めてノーベル賞を受賞した物理学者，湯川秀樹博士は，家庭で祖父から学んだ素読の思い出について，次のように語っています。[5]

　私はこのころの漢籍の素読を，決してむだだとは思っていない。戦後の日

本には，当用漢字というものが生まれた。子供の頭脳の負担を軽くするためには，たしかに有効であり，必要でもあろう。漢字をたくさんおぼえるための労力を他へ向ければ，それだけプラスになるにちがいない。しかし私の場合は，意味も分からずにはいっていった漢籍が，大きな収穫をもたらしている。その後，大人の書物をよみ出すときに，文字に対する抵抗が全くなかった。漢字に慣れていたからである。慣れるということは怖ろしいことだ。ただ，祖父の声につれて復唱するだけで，知らずしらず漢字に親しみ，その後の読書を容易にしてくれたのは事実である。

　ユダヤ民族は，世界人口のわずか 0.25％ を占めるにすぎませんが，ノーベル賞の 20％，フィールズ賞の 25％ 以上を独占しています。ユダヤ人は暗唱の習慣を持ち，3 歳頃から文字を覚え，4 歳頃にモーセ五書の暗唱を始め，13 歳頃の成人式でそれらを暗唱するのです。皆さんもシナゴーグと言われるユダヤ教寺院で信者が体を前後にゆすってリズムをとりながら聖典を口ずさんでいるのを見たことがあるかと思います。
　シュリーマン（トロイの遺跡を発見したドイツの考古学者）は，独学で15 か国語以上をマスターした語学の天才ですが，彼は語学習得の秘訣について以下のような秘訣を書き残しています[6]。

　① できるだけ多く音読すること。
　② 多くの文を大声で暗唱すること。

　古代インド人（ゼロの概念を発見）の言葉，サンスクリット語を暗唱する効果についても研究されています[7]。サンスクリットのマントラを長年にわたり暗唱し続けている古典学者では，脳の大脳皮質が厚くなり，記憶を司る脳の器官，海馬の体積増加が顕著でした。特に，音・空間・イメージなどを処理する右脳の海馬では 75％ ほども灰白質（神経細胞が集まる部分）が増加していたと言います。サンスクリット語は音が言葉の大切な意味を担っている言語ですから，暗唱と音，記憶，脳との間には密接な関係があると示唆されています。

4．メンタルレキシコン－意味の地図

　言葉は私たちが自分で考え，感じ，表現する基礎となる道具です。私たちが理解し，考え，会話するとき，必ず脳は記憶をたどり，知っている言葉を参照します。では，その言葉は脳にどのように保存されているのでしょうか。

　ダマジオ博士らは，物の名前は脳の中でカテゴリーごとに別々の部位に記憶されていることを実験によって突き止めました。[8] つまり，食べ物は食べ物，生き物は生き物でグループを作り，それぞれ意味的つながりが深いもの同士が寄り集まってリンクを作りあい階層として存在しているのです。このように言葉の知識が整理されて記憶されていることから，これを脳内の辞書，メンタルレキシコンと言います。例えば，「ペンギン」や「白鳥」は翼のあるもの同士リンクしあい，「鳥」というカテゴリーの下に位置します。このように，脳内には意味で分類された一種の意味地図があると考えられ，新しい知識の「理解」が起こるときには，もとからあるネットワークに新しい知識を基礎付ける作業が行われているのです。また，文法や，語の組立てに関する知識もこのようにネットワークを形成し，よく使われるもの同士，同じ状況で使われるもの同士がリンクを張り合い，隣り合って存在していると考えられています。

　知識がより深く理解されるということは，その言葉が多くの他の言葉とつながりがある状態と言えるでしょう。1語を与えられていくつの単語を連想できるか問う連想テストでは，深く理解し，使いこなせている言葉であるほど，連想できる語が多いのです。つまり，脳内に記憶される言葉同士がより多くの他の語とネットワークを作っていればいるほど，理解も深く，記憶も強固になります。暗唱では，文章を丸ごと覚えるため，言葉の間の関係が記憶されやすく，一つの単語から連想が広がり，このことが発想力の基となります。また，密に張り巡らされた意味の地図のネットワークにより理解力も高まるのです。

5. 記憶の分類－頭で理解する知識から身体的な知識へ

　今までの記憶についての研究から，記憶は大きく分けて，宣言記憶と非宣言記憶に分けられると考えられてきました。宣言記憶は言葉で説明できる記憶で，エピソード記憶（夏休みの海水浴の思い出など出来事の記憶）や，意味記憶（英単語を一問一答で覚えるなど事物の意味の記憶）です。一方，非宣言記憶は言葉で説明できない記憶で，手続き記憶（泳ぎ方や運転の仕方など身体化された記憶）がそれに当たります。エピソード記憶は自分が体験したことや自分に関係した記憶であり，意味記憶は自分に直接関係しない記憶です。分析力が発達した大人ほどエピソード記憶が得意であり，9歳頃までの子供は意味記憶が得意だと言われています。皆さんも小学校にも上がらない子供が駅名をすらすら暗唱するのを見たことがあるかもしれません。このような意味記憶は分析力がつき物事を自分視点で体系化することができる大人になるにしたがって失われるため，大人が暗唱するときには物語など，出来事として記憶できる素材がふさわしいのです。

　学びにおいては，自分の経験から知識を得たり（エピソード記憶），教室で先生から教わったり（意味記憶）することからはじまり，最終的には知識が完全に習得され自動化されている（手続き記憶）状態になるのが理想です。音読，暗唱は文章を丸ごと記憶に取り込み自由に口ずさめるようになることを示しますから，知識を手続き記憶へと移行させる作業と言えるのです。

表1：記憶システム

エピソード記憶	
意味記憶	宣言記憶（言葉で説明できる）　海馬が担当
手続き記憶	非宣言記憶（言葉で説明できない）

海馬—記憶の生成装置

　海馬は脳の深い部分に位置する器官で，記憶の生成に不可欠の器官です。海馬では，神経細胞同士がネットワークを作ることで記憶を生成しますが，

神経細胞が強く結びつくためには，次のような条件が必要と考えられています。まず，海馬は，生きるために必要な情報を優先的に記憶しようとします。ですから，繰り返し入ってきた情報，興味を持てる情報は，海馬が重要な情報と見なすため記憶されやすいのです。また，強い感情を持つと，海馬の隣にある情動を司る器官である偏桃体と海馬がθ波という特定の周波数の脳波を出すことで，細胞同士のつながりが強化されます。さらに，海馬は耳から入る情報の方を目から入る情報より重要なものとして記憶します。これは，目（視覚）が進化上出現したのがカンブリア時代という比較的最近なのに比べて，耳（聴覚）はそれよりずっと古い起源を持つ感覚であるためと思われます。ですから，海馬に記憶を生成させるためには，耳から繰り返し情報を入れるとよいのです。

図1：海馬と前頭前野[9]

前頭前野

海馬

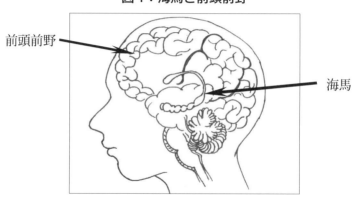

6.　音読に反応する脳

　ある動作をしているとき，脳のどこが働いているかを知ることができる機械にMRIがあります。MRIを使うと，血管内の血流量を測定することができ，どの神経細胞が活発に働いているのかを知ることができます。川島博士らよる研究[10]では，音読後に脳全体の70％，特に前頭前野が活性化することが示され，博士らは音読ほど脳全体を活性化する作業を見たことがないと述べています。また，音読の2分後，記憶，空間認知能力が20～30％も高まることも示されました。

　前頭前野はサル以上の霊長類で発達し，特にヒトで大きな体積を占めることから，ヒトの知性と人格の中枢と考えられてきました。特に，意思決定，行動計画，論理的な推論，共感，記憶の想起などに関わっているとされています。

　このような音読の脳に対する効果は，音読が全身的な運動を伴うことを示す証左ではないでしょうか。音読をするときは，まず目で文字を追い，脳で認識し，口で言葉を作り，時には体でリズムをとりながら，耳で自分の声を聴きます。特に，右脳は左脳より音楽やイメージの処理，感情の読み取りに長けていますから，言語野がある左脳に加えて，音読時は韻律の処理により右半球がより活性化します。左脳の言語野に損傷を受けた患者が，話をする能力を失っても歌をうたう能力を保持しているのは，韻律の情報を右脳が受け持っていることを示しているのです。

　もともと，私たちが成長する過程でも，聞く，話す，読む，書くの順に習得が起こります。まだ言葉を話すことができない乳幼児の頃から，母親の語り掛けには前頭葉が活性化することからも分かるように，音読には脳を活性化させる根源的な力があるのです。

7.　音読，暗唱の具体的方法

　まずは日本語でも外国語でも，古典と言われる文章を音読してみましょう。100文字ほどの分量でも30回も繰り返すと自然と文章が身に染みてきます。この時に気を付けるのは，大きな声で読むことです。耳で聞いた情報，情感を伴った情報は海馬に働きかけて記憶を作りやすくします。もし大きな声で読むことが難しければ耳栓をしてみましょう。声を出したときに自分の声が骨を伝わって脳に届く骨伝導という仕組みで，自分の声がより大きく響くのが分かるでしょう。ICレコーダーに自分の音読を録音して，それを繰り返し聞いてみるのも効果があります。学習機器としては，音読学習機を利用してみるのもよいでしょう。これは自分の声を録音すると同時に耳から聞くことができるフィードバック型のヘッドフォンで，音読による能動的なアウトプットと自分の声を聴くことによる復唱が，記憶の定着を強固にします。ま

た，音声ペンや，辞書の音声機能を使用してみるのもお勧めです。情報を音と紐づけて脳にインプットすることにより，既に長期記憶の中にあるイメージが喚起され，記憶が長く残りやすくなると同時に，思い出すことが容易になります。音読をするときは音の持つリズムや高低を意識してみましょう。そして，体でリズムをとってみましょう。ネズミの実験では，ネズミは自分で体を動かして探索行動をとったときだけ記憶を形成しました。言葉を声に出し，言語野のある左脳（デジタル）だけでなく脳全体（アナログ）で向き合うことが，言葉を自分の中に深くつなぎとめる第一歩なのです。

8.　学びとは何か

　学びには「理解」の側面と，「習得」の側面があると言えるでしょう。理解は，自分が既に知っている知識に新しい知識を位置付けて納得することです。また，同じ物事を違う状況で角度を変えてみることで自ずと物事の意味をつかめるようになることです。学校の授業で教わる分析的な考え方も理解の仕方の一つですが，現代の教育は，物事の連関を定着させるものではないため，単なる情報処理に終始しています。理解をより深くするためには，その前提として体系化された既存の知識を持っている必要があります。一方「習得」は，学習を繰り返すことで，技能を無意識に自由に使えるようにすること，全体を部分に分けずに丸ごと身体化させること，と言えます。最初は苦労して乗り方を覚えた自転車を大人になってからは無意識に乗ることができるようになること，またアルファベットから習った英語を数十年後には特に意識することなく会話できるようになることが学びの目標であるとすれば，理解はいつも習得を目標とすべきものです。

　思考力とは何でしょうか。それは，正しい文法で論理的な言葉を構成する力です。発想力とは何でしょうか。それは，知識から他の知識を連想する力です。創造力とは何でしょうか。それは多くの情報から異なる部分と共通する部分を見極める力です。

　音読，暗唱は繰り返し文章を読み上げることにより，知識をつながりあるものとして記憶に定着させます。音の情報はより深く記憶を脳に刻印します。

定着した物事に関する知識は理解力を高め，語法に関する知識は，論理的文章をもとに思考する土台を形作ります。幕末の時代に西洋人を驚かせたように，今まさに音読，暗唱学習を見直し，再び世界を驚かせる日本人として生きたいものです。

注

1) 総務省「平成 30 年度版情報通信白書 第 2 節 ICT サービスの利用動向」（PDF）.
http://www.soumu.go.jp/johotsusintokei/whitepaper/ja/h29/pdf/n6200000.pdf
2) 国立教育政策研究所「平成 29 年度全国学力・学習状況調査の結果報告書」.
http://www.nier.go.jp/17chousakekkahoukoku/index.html
3) 日本経済新聞「大学生「読書時間ゼロ」半数超」.
https://www.nikkei.com/article/DGXMZO27402030W8A220C1CR8000/
4) YAHOO! ニュース JAPAN「AI 研究者が問う　ロボットは文章を読めない　では子どもたちは「読めて」いるのか？」.
https://news.yahoo.co.jp/byline/yuasamakoto/20161114-00064079/
5) 湯川秀樹『旅人 ある物理学者の回想』KADOKAWA，2011 年.
6) ハインリヒ＝シュリーマン（著）・村田数之亮（訳）『古代への情熱－シュリーマン自伝』岩波書店，1976 年.
7) James Hartzell "A Neuroscientist Explores the 'Sanskrit Effect'" *Scientific American*, 2018.
https://blogs.scientificamerican.com/observations/a-neuroscientist-explores-the-sanskrit-effect/
8) Damasio, A.R. and H. Damasio "Brain and language" *Scientific American*, 267, 1992, pp.63-71.
9) （美術家）小川猛志氏より許諾のもと提供いただいた。
10) 川島隆太・安達忠夫『脳と音読』講談社，2004 年.

韓国の言語政策にみる伝統的「文字」文化の立ち位置
―漢字文化と和したハングル文化からの示唆―

木内　明

1.　ワープロの漢字変換機能がもたらす漢字力の低下

　日夜進化するワープロの漢字変換機能の手厚さは驚異的ですらあります。タイプしている言葉をその場で正確な漢字に変換してくれるばかりか，AIの飛躍的な発展を取り込みながら，昨今では，何かを書こうと最初の1文字を打ち始めた段階で，書き手が表現したそうな言葉を先読みして候補となる漢字を挙げてくれます。おかげで，常識的な大人であれば赤面してしまうような漢字のミスは激減しました。以前ならば，おいそれと書けなかった使用頻度の低い複雑な漢字単語も難なく表記できるようになってきたのです。もとより，それが我々個々の漢字力の向上を裏付けるものでないことは言うまでもありません。むしろ，デジタルツールの変換機能がレベルアップすればするほど，日本人の漢字を駆使する能力は劣化しているように思えてならないのです。少なくともワープロの漢字変換機能に頼りきっている筆者などは，手書きの書類に漢字を書こうとして，ふと手が止まってしまう経験が時とともに増えているのが実情です。

　筆者には漢字について一つの風景があります。留学していた90年代の韓国は，古来漢字文化の国でありながら，日常生活から漢字を一掃して既に長い歳月を経ていました。街の看板や道路標識はもちろん，小説や雑誌もほぼすべてハングルで統一されていました。そのため，大学生でも親の名前や住所などを漢字で書けないことは珍しくありませんでした。やっと書いてくれた本人の名前すら点や偏などが間違っていたり，あるいは，文字としてのバランスも不恰好で，日本であれば決して教養ある大人の筆跡には見えないことが多かったものです。その頃は，勝手に韓国の将来を案じたりもしました

が，漢字の記憶や再現をデジタルツールに任せてしまっている今の日本で，漢字と苦闘する自身や周囲の姿が，その頃の韓国の様子とどこか重なって映るようになってきたのです。

2.　新たな表音文字の発明

　韓国語は，日本語と同じように古くは文字を持っていませんでした。そこに中国から漢字が伝わったことで，当初は発話されている音に万葉仮名のように漢字の音を当てて表記していました。しかし，一つの音に画数の多い漢字を一つ一つ当てるため，記述する上での効率は悪く，日常的に重宝する簡便な記述手段が不在なことに変わりはありませんでした。

　そこで，1446年に，朝鮮王朝第4代国王のセジョン（世宗）が創製，頒布（はんぷ）したのが，韓国語の音を忠実に再現する表音文字ハングルです。これにより，漢字の名称を持たない固有の動植物や庶民の日常生活で使われる道具はもちろん，「てにをは」のような助詞なども，音そのままに文字で表記することが可能になりました。文字によるコミュニケーションという点で画期的な変化がもたらされたのです。

　とはいえ，それ以前の韓国の公文書や記録はおしなべて漢字ですし，韓国の事情など構わず中国からとめどなく流入し続ける膨大な文物，学問や思想，宗教は依然として漢字のままです。また，近隣諸国との外交や交易も基本的には漢文でした。国王がハングルを創製するにあたり，学識者たちの反対は決して小さいものではありませんでした。当時の韓国にとっては，世界の中心であり基準であった中国の漢字こそが文字であり，日本やモンゴルがそれと異なる独自の文字を持ったことこそ「夷狄（野蛮）」（いてき）の証という主張でした。今となっては学者や家臣らの反対意見を保守的，事大主義だと一蹴することは容易ですが，漢字に現在の英語のような世界共通語としての認識があったとすれば，あえて世界と距離を置くような文字を作る，という試みに批判的な気持ちが生じることも分からなくありません。どちらにしても長短はあったのです。だからこそ，あえて一般庶民の立場に寄り添ったセジョンの大胆な発想の転換と実行力が今なお評価されるのでしょう。

　国王の英断によって押し切られた新しい文字の創製ですが，必ずしもハングルはすぐに広まったわけではありませんでした。知識層の間では女性や子供のための文字として蔑まれ，公式記録や学術思想には漢字のみによる記述が一般的でした。基本的に公文書は漢文，私信や大衆小説などはハングルという形で，棲み分けながら近代に至ったのです。それが，1895年に至り，「高宗勅令第86号9条」[1]をもって，公文書に漢字とハングルを混用することが認められました。この勅令により，ようやくハングルは公的なお墨付きを獲得し，以後，現在の日本語のような漢字とハングルが混在する文書が増えていきました。

3.　ハングルに対する思いと揺れる社会
3.1.　ナショナリズムと漢字排斥

　ところが，日本の植民地から解放されると，今度は漢字を廃止する方向に振り子が大きく振られました。植民地末期には多くの学校で日本語による教育が行われ，公文書やメディアの報道も日本語になりました。日常生活においても交番や役場，郵便局といった公共機関をはじめ，通りを我が物顔で闊歩する日本人の増加とあいまって，社会のありとあらゆる部分に日本語が浸透していきます。日々，失われていく他の多くの韓国文化とともに，韓国語，とりわけ韓国語だけの文字であるハングルへの郷愁は，多くの国民に共有されるナショナル・アイデンティティの一つにもなったのです。

　解放直後の1945年10月には，早くも10月9日を「ハングルの日」として公休日に定めています。朝鮮戦争が休戦を迎えた1948年，大韓民国の建国とともに初代大統領イ・スンマン（李承晩）によって「ハングル専用に関する法律」[2]が制定されるや，公文書はハングルのみと定められ，漢字をその補助的な立場に追いやってしまったのです。

　ここで一つ断っておきますと，日本語における平仮名と異なり，ハングルだけで書く，という実践は決してナショナリズムの前に不便を甘受するやせ我慢ではありませんでした。韓国語は，母音も子音も日本語より多いため，同音異義語も日本語ほど多くありません。また，漢字1文字はハングルに変換

しても1文字なので，文の文字数は変わらず，ハングルだけで表記しても日本語の平仮名だけの文章のように，やたらと長くなるようなこともありません。さらに当時の韓国の言語事情として，植民地期間にわたって朝鮮総督府による日本語教育が強調されたこともあり，韓国語の識字率は終戦直後で22％余りにすぎなかったと言われるほど低いものでした。[3] 国民全体の識字率をいち早く引き上げるためには，まずシンプルなハングルを普及させることが急務であり有効だったのです。文字を簡便なハングルのみにする利点は少なくありませんでした。

　ただ，一国の文字をそっくり変更するという改革はそう容易くはありませんでした。社会全体のハングル化を推し進めるイ・スンマン大統領は，法律の制定後も官公庁ですら漢字とハングルを混用し続けている実態を問題視し，1957年には改めて「ハングル専用の積極推進に関する計画書」を発表します。さらに，その翌1958年には「ハングル専用実践要綱」を作って，各省庁の看板や文書などをはじめ，より具体的な指示とともに，社会全体のハングルの徹底を図りました。

　イ・スンマン失脚から3年後，1961年に軍事クーデターで国家再建最高会議議長に就任し，1963年に大統領になったパク・チョンヒ（朴正煕）もハングル化への姿勢は頑（かたく）なでした。1962年に文教部[4]内に「ハングル特別審議会」を設置すると，[5] 1968年3月に「ハングル専用5カ年計画案」を，同年10月には「ハングル専用推進7項目」[6]を矢継ぎ早に発表しました。さらに，同年11月には「ハングル専用研究委員会」[7]を設置し，強制的なハングル専用に拍車をかけます。いかに彼が韓国社会から漢字を抹消しようとしていたかがうかがえますが，この固執により，1970年，ついに小中高での教育から漢字は一切姿を消しました。

　一方で，ハングル専用による不利益も早くから指摘され，学識者を中心に反対の声も小さくありませんでした。反対の理由として挙げられたのが，初めて接する言葉の漢字を知らないと，意味を類推できない点でした。とりわけ，日常的に使用しない専門用語，しかも日本語からの翻訳も多かった法律文などは，漢字なくしてはお手上げです。また，漢字の造語力や，東アジア諸国における漢字の流通実態から，コミュニケーション手段としての有用性

もハングル専用に対する反対の根拠になりました。

　当初は，このような機能論的な立場からの漢字併用が強く主張されていましたが，漢字を知らない世代が増えるにつれ，過去に漢字教育を受けていた世代を中心に浮上したのが，自分たちの伝統文化の喪失を懸念する声です。小中高の教科書から漢字がなくなった 1971 年には，国内の 20 の学会が連盟で漢字教育を求める建議書を発表するに至りました。さすがに，この時ばかりは，これら学識関係者らの切実な訴えが汲まれ，翌 1972 年に漢字教育は部分的に認められることなります。これにより，復活の兆<ruby>し<rt>きざ</rt></ruby>を見せたかのようにも映りましたが，教えられる漢字数は限られ，また日常生活からも漢字はどんどん消滅していましたので，ハングル専用に流れる社会の大きな趨勢を変えることはありませんでした。以後もそれぞれの時代の社会的な雰囲気や政権の思惑などに巻き込まれながら，漢字とハングルを巡る国を挙げての議論は繰り返されました。

　長年の議論に決着を付けるべく 2005 年に公布されたのが，「国語基本法」です。同法により，公文書はハングルで書くことが改めて義務付けられ，その内容に含まれるとして 1948 年以来の「ハングル専用法」は廃止されました。パク・チョンヒ政権下のように漢字教育を禁じてこそいないものの，もはや大学入試にも無関係な漢字教育を実施する学校は多くありません。

　しかしながら，この頃には既にアジアの一大貿易立国に成長していた韓国にとって，国家競争力のための漢字の実利的な必要性は更に大きくなっていました。冷静な視線で漢字教育を求める声は通底<ruby>し<rt>つうてい</rt></ruby>，腰の重い学校教育に代わって，様々な機関による漢字能力の検定試験が始められたのもこの頃です。2019 年現在，そのうち九つの団体は国の認定を受け，企業などの採用試験には有利な資格の一つとされるほど，漢字は実務上の必要な知識としても認識されているのです。しばらくは現行の国語基本法が変わることもないでしょうから，当分，漢字を巡る議論が絶えることもなさそうです。

　1948 年に「ハングル専用法」が国会で制定されて 70 年が経過し，社会全体の漢字の使用実態は激減しましたし，一般的な国民の漢字の知識量も減りました。少なくとも，漢字を一切知らなくても社会生活上の支障はなくなったという意味では，漢字の一掃は成功したと言えるでしょう。ただ，それで

もなお，漢字の必要性を訴え続ける声が消えないのは，韓国語の語彙の多く
が漢字に由来し，言語自体が漢字と不可分な文化であることを，繰り返され
る議論から身をもって痛感したからだと思われます。

4.　韓国文化としての漢字

　韓国のものではないと排除された漢字ですが，伝来後，2000 年に及ぶ長
い歳月の中でじっくりと韓国の風土に溶け込み，その文化の一部になってい
たことには疑問の余地はありません。

　人名や国名はもちろん，山や川などを含めた地名，行政機関や官職，建造物，
それらに立脚するあらゆる知的営み，その多くが漢字からなり，そこには韓国
人の信仰や価値観に基づいた知恵や教えなどが深く刻まれています。男性の
名前の付け方一つ取っても漢字抜きにはありえない文化が根付いていました。

　かつて男性の名前は，それぞれの家系ごとに決まった漢字を順序に従って
繰り返し使う「行列字」という仕来りがありました。ある家系では，実際に
五行の「木，火，土，金，水」の 5 文字が使われていましたが，一人の人物
の名前の一部に「木」という漢字を使うとすると，その子供の世代の名前に
は「火」を，そして孫の代は「土」といったように，世代ごとに名前に取り
入れる漢字と，その順番が決まっていました。「火」といっても「營」や「熙」
であったり，「土」も「培」や「圭」のように偏や旁も許容されていたりし
ますから，同じ漢字ばかりになるわけではありません。世代が進行しながら
年齢が離れたり逆転したりしても，一族の中では，始祖から数えて何代目に
あたるか一目瞭然です。また，複数の親族間でも，どちらが上の世代かとい
うことの判別も明瞭でした。長幼の序が徹底された儒教社会では世代の上下
関係を確実に維持するためにも重宝されたのです。

　この「行列字」の文化などは，もとを正せば中国に端を発しますが，韓国
文化における認識や価値観に基づいて，韓国の地で造語された漢字単語も少
なくありません。例えば，夫婦のことを「内外」と書いたりもしますが，こ
れは男性優位だった儒教思想下の朝鮮時代において，社会的な居場所が男性
は家の外，女性は家の中だったことに由来します。

　また，韓国独自に作られたオリジナルの漢字もあります。例えば，女偏に思うと書く「媤」という漢字です。これは「夫の」という意味で，「媤父」と言えば，「夫の父」のことですし，「媤母」と言えば「夫の母」，「媤宅」で「嫁ぎ先」のことです。日本にも舅（しゅうと）や姑（しゅうとめ）という漢字はありますが，これらは男女問わず結婚相手の父や母のことで，女性の立場に限って使われる「媤」とは異なります。女性が嫁ぎ先で苦労したのは当時の韓国に限ったことではなかったでしょう。しかし，男尊女卑がまかりとおり，夫の家族に尽くすことが当然かつ最優先の役割とされた朝鮮時代の嫁の立場に思いを馳せると，他の漢字で代替できなかった「妻の目に映る世界」があえて形となるほど，この漢字の出現一つにも深い歴史文化の一端が偲（しの）ばれます。これ以外にも韓国で必要に応じて独自に作られた漢字は存在します。ハングル一色の現在，漢字は文字の表面にこそ表れていなくても，韓国の社会文化の血や肉として脈々と息吹く，韓国人とは不可分な存在なのです。

5.　漢字との付き合い方と意識の変換

　今更日本語における漢字の必要性や大切さは問うまでもありませんが，韓国における漢字とハングルを巡る長く切実な議論から，日々書けなくなりつつある漢字のあり方，扱い方について知らされることは少なくありません。

　多くの日常場面で漢字変換を電子メディアに委ねている今の時代は，我々に改めて漢字と真摯に向き合うことを求めていると言えそうです。漢字の手書きが不得手となった日本人は，電子メディア搭載の漢字変換機能を巧みに駆使しつつ，同時にまた，デジタルツールに自分たちのコミュニケーション道具の一部をも掌握されている，と言ったら大袈裟でしょうか。少なくとも，コミュニケーション手段としての文字を再現する力は日々奪われつつある，とは言えるかもしれません。今後も日常の様々な場面で文字を書くことは避けられませんし，アナログな肉筆に価値を認める署名や揮毫（きごう）などの文化も存在し続けそうです。漢字変換機能に頼らずとも，必要に応じて自分で的確に文字を書ける，それができずには，デジタルツールとウィンウィンの共存関係を構築しているとは言い難いでしょう。

　韓国人が失いかけて痛感した，漢字が伝統文化だという認識は，我々日本人にとっても，漢字を単なる道具にとどめず，人類の英知の結晶として評価する意識や環境を改めて醸成してくれそうです。「姻」という一つの漢字からも，儒教に染まった朝鮮時代に女性が置かれていた立場に思いを巡らせつつ，当時の歴史文化を手繰（たぐ）り寄せる知的探求だって可能なのです。同様に，武家の礼節が重んじられた江戸時代に作られた「躾（しつけ）」という和製漢字を手がかりに，一日本文化の歴史や，当時の美意識に改めて触れることもできるでしょう。個々の漢字の偏や旁，あるいは歴史や造形美にまで意識を配するセンスが備わることで，大学を卒業した大人でさえ，読めるけれども書けない，というおかしな言語文化の今以上の悪化に少しでも歯止めをかける一助になるのではないでしょうか。その際，漢字に疎くなったことを嘆きながらも，漢字の習得が学校教育だけの役割だと，教育に問題の解決を迫るような固定観念に縛られるようなことがあるとすれば，そこからの一刻も早い脱却も欠かせません。歴史や文化に触れる上で，あるいはそれらを堪能する教養を深める上で，年齢は無用です。伝統文化である漢字と，それを嗜（たしな）む自身を，生涯をかけて磨く習慣は継続されてしかるべきでしょう。

　とはいえ，果たしてそれらが根本的な解決策になるかと問われれば，それもまた心許（こころもと）ない限りです。これだけデジタルツールに依存している現代社会で，その程度で日本人全般の漢字力が反転，回復するとは期待し難いのが現実でしょう。だとするならば，戦後，旧字体からシンプルな新字体を考案したように，この際，現状の漢字を更に一段階，簡素化するような大胆なイノベーションこそ求められるのではないでしょうか。もちろん，単純に画数を減らすといった一元的な記号化に終始せず，各漢字の中に残すべき歴史や文化をとどめた上での簡素化という挑戦になります。日々進化するデジタルツールが社会的コミュニケーションを支える日本の情報インフラの中で，複雑な漢字はもはや時代にそぐわない可能性があるのです。新字体すら苦々しく思うような，漢字を愛する人々からすれば，さらなる簡素化など受け入れ難い暴挙と映ることでしょう。しかし，あえて発想を換え，漢字は，多くの日本人が書きこなせる程度まで簡素化してでも残すべき伝統文化だという解釈に，漢字の復興をかけるのです。事によると，漢字のみならず，漢字を文

化の基盤とし，コミュニケーションの手段とする日本人の知的営みの活性化まで後押しすることになるかもしれません。

　漢字に対するベクトルこそ逆ですが，莫大な中国文明の影響下にさらされていた朝鮮時代の韓国で，固有のハングル創製を手がけたセジョンの英断があったからこそ，現在の韓国は独自の文字で万物を論じ，国を動かすことができるのです。それに比べれば，リスクも限られた発想の転換にすぎません。その時は，漢字を失いつつある韓国をはじめ，広く漢字文化圏の人々にも声を掛け，このグローバルな伝統文化の普遍性と個性を活かしたイノベーションについて，ともに知恵を集めてもよいかもしれません。今後，漢字に限らず，デジタル環境の発展に伴い，それに対応する社会システムの変化はより頻繁に求められるでしょう。後手に回って大切な文化を失いながら取繕うのではなく，いち早く自らの意識を変換し，古いものを最適化させながら賢く適応していくことが，必要な時代になりそうです。

　私たちの子や孫が漢字で自分の名前を書けない，そんな他山の石のはずだった事態が，ペンを握るたびに我が事のように思えてくる今日この頃です。求められる改革は決して遠い未来の話ではないでしょう。

注

1) 「法律命令はハングル以て正本とし，漢訳を付すか，ハングルと漢文を混用する。」（高宗32年5月8日「勅令第86号9条」）
2) 「大韓民国の公用文書はハングルで書く。但し，暫くのあいだ必要なときは漢字を併用できる。」（1948年10月9日「法律第6号」）
3) 国家記録院「ハングルが歩んで来た道」の「文盲退治事業1954年」
http://theme.archives.go.kr/next/hangeulPolicy/business.do
4) 日本の文部科学省に該当する。
5) 同審議会では，漢字由来の難しい言葉や外来語を簡単なハングル単語に変える作業に着手し，1963年までに14159個の語彙を扱った。
6) 7項目の中では，行政，立法，司法におけるすべての文書や，学校の教科書から漢字を一切なくすことなどが盛り込まれた。
7) 同委員会により，イ・スンマン政権下で選ばれた教育用漢字1300字も最終的に廃止された。

第Ⅱ部

アナログ知の教育ポテンシャル

デジタル絵本とリアル絵本でつなぐ新たな教育手法
—子供たちの巧みな想像力育成への今日的試み—

林　順子

1.　デジタル絵本の今日的立ち位置

　スマートフォンやタブレット上で購読する電子書籍の売上げが増加してきました。[1] その中で，絵本の電子書籍，つまり「デジタル絵本」の普及は遅々として進んでいないとも言われます。その一方で，従来の紙媒体の絵本，ここではデジタル絵本に対して「リアル絵本」と呼びますが，その売上げの上昇傾向が目立つようになってきています。[2] その背景としては，インターネット上で検索でき，レビューやお薦め絵本なども容易に閲覧できるようになったこと，SNS（Social Networking Service）の普及により親世代が子育て情報を交換する中で絵本を話題にするようになったことなどが挙げられ，デジタル時代ならではの特質も関わっているようです。そして，約7割の家庭が，就学前の子供に週3，4回以上読み聞かせをしていること，[3] 少子化の中，団塊の世代の祖父母が孫にリアル絵本を買い与えていることなどにもつながっているようです。

　それでは，デジタル絵本に関しては，もはや普及の見込みがないのでしょうか。街中では小さな子供たちが夢中になってスマートフォンやタブレットを操作している様子をしばしば目にします。ベネッセ教育総合研究所によれば，[4] 国内で0歳半児から6歳児（未就学）の母親がスマートフォンを所持する割合（首都圏）は，2013年から2017年の4年間で60.5％から92.4％へと増加し，「ほとんど毎日」「週に3〜4日」「週に1〜2日」「ごくたまに」を合わせたスマートフォンに触れている子供たちの割合は，2013年の53.1％に対し2017年では71.5％と7割を超えるようになりました。小さな子供たちのスマートフォン，及びタブレットの活用が急激に進んでいること

が示されています。タブレット学習が広まり，デジタル教科書の普及も進められ，教育の場も確実に，しかも急速にデジタル化が進んでいます。現時点では，デジタル絵本の出版数はリアル絵本に押されて目立ちにくいですが，大手出版社を中心に絵本のデジタル化は積極的に推進されています[5]

　こうした加速するデジタル化の流れに加えて，親世代の絵本自体への関心の高さを勘案すれば，今後，子供たちがデジタル絵本と接する機会は必然的に増えていくであろうと推察されます。絵本では長年読み継がれるロングセラーに人気が集まることが多いですが，今の新刊デジタル絵本からロングセラーが登場し，デジタル絵本が親から子へと読み継がれる時代が近い将来やってくるのかもしれません。こうした展望をも念頭に，現在配信中のデジタル絵本とはどのようなものなのか，そして，リアル絵本にしかない特長とは何かという問いに現時点での答えを示し，子供たちの巧みな想像力を育成するために，デジタル絵本とリアル絵本をコラボレーションさせた今日的な学びの一つのあり方を紹介してみることにします。

2.　デジタル絵本とは何か
2.1.　デジタル絵本の分類と特色

　Amazon が提供するブックリーダー Kindle や iPad で読む電子書籍は，基本的に紙媒体の書籍を電子化したものと言えますが，デジタル絵本は単純に絵本を電子化したものとは言い難いところがあります。ネット上でアプリなどをダウンロードして，パソコン，スマートフォン，タブレット，専用の電子リーダーなどで閲覧する点は同様ですが，そのコンテンツは驚くほど多彩です。デジタル絵本では，静止画と文章に，ナレーション，効果音，動画，インタラクション（相互作用）などを盛り込んだりしているからです。盛り込まれる要素の中で，ナレーションは，まだ読み書き能力を習得していない子供たちが絵本に向かう際の状況を変化させます。そして，インタラクションなどを豊富に含むものでは，紐解く目的が大きく異なるのです。以下に，デジタル絵本を，構成要素と状況及び目的から大きく三つの型に分類してみました。

表1：デジタル絵本の構成要素と状況・目的からの分類

タイプ（※1）	電子化タイプ	語り付きタイプ	マルチ機能タイプ
構成要素	静止画，文章 （背景音楽が付加される ものがある）	静止画，ナレーション 及び文章 （背景音楽，効果音，部分 的な動画，簡単なインタ ラクションなどが付加さ れるものが多くある）	静止画，動画，ナレーション， 文章，背景音楽，効果音， インタラクション，拡張現実 （※2）他 （このタイプでは，個々の 絵本により構成要素は任意に 選択される）
状況・目的	大人と共に静止画を 見ながら大人の語りを 聞く	主として一人で静止画を 見ながらナレーションを 聞く	主として一人で視聴し，遊ん だり，体験したり，創作した りする

※1「語り付きタイプ」は，多くの場合ナレーション機能の停止，モード切り替えなどで「電子化タイプ」として使うこともできる。同様に，「マルチ機能タイプ」も，モード切り替えで「電子化タイプ」や「語り付きタイプ」として使えるものも多い。
※2 拡張現実（AR：Augmented Reality）：情報技術によって，現実世界を仮想世界にまで拡張し，現実と仮想を重ね合わせた環境をいう（現代用語の基礎知識 2019）。

　一つ目の「電子化タイプ」は，リアル絵本同様，静止画と文章で構成され，子供たちは静止画を見て大人がその傍らで語り聞かせるものですが，サイズはスマートフォンやタブレットの画面に合わせて縮小されます。
　二つ目の「語り付きタイプ」は，ナレーションが付加され，まだ文字の読めない子供であっても読み聞かせを楽しめるようになっているものです。スマートフォンやタブレットで視聴できるビデオ絵本，てれび絵本，絵本ムービーなどもこの範疇に属します。読みたい本のアイコンに軽く触れると本が開き，ページは自動で進むか，あるいは矢印などに軽く触れることで進み，小さな子供であっても一人で完読できる様式になっています。そして，デジタルならではの魅力も加えられています。ナレーションは，プロの声優や俳優による落ち着いた聴き取りやすい語りであったりします。ナレーションのみでなく，物語の展開に合わせて背景音楽をつけて雰囲気を醸し出すもの，例えばドアの開閉音などの効果音をつけて臨場感などを出すものもあります。静止画も，物語の展開に合わせて部分的にズームアップされて細部を見やすくしているものや，人物が手を振るなどの簡単な動画で子供たちの興味

を引く工夫が施されているものもあります。さらには，画面を指で触れたりドラッグしたりするとドアが開くなど，インタラクション性を含むものまであったりします。もちろん，こういった工夫は過度になりすぎると，逆に物語へ向かう子供たちの気持ちを阻害することにもなり得るので，[6]あくまでも集中力を乱さない範囲内での措置が望ましいとされています。

　そして，三つ目の「マルチ機能タイプ」は，紐解く目的が読むことに特化されてはいません。デジタルならではの様々な機能を盛り込んだ斬新な絵本であり，遊ぶ，体験する，創作するなどへ目的は広がり，読むという枠を超えているのです。

　これらデジタル絵本の三つのタイプにおいて，個々の絵本で手に取る目的が異なる「マルチ機能タイプ」はまだ定型のない先鋭的なものであり，どういった作品が受け入れられていくのかが注目される状況です。そして，目下，「電子化タイプ」「語り付きタイプ」が，子供たちの日々の絵本場面に登場するようになってきており，本稿でもこれらを中心に扱っていきます。

2.2.　読み聞かせ用デジタル絵本の特長－接触量の増加

　まず，デジタル絵本は，電子書籍と同様に何冊もが小さなスマートフォンやタブレットを通してオンデマンドで引っ張り出せるのですから，決してかさ張ることもなく，また「いつでも」「どこでも」気に入ったものを選べるという利点があり，自然と絵本への接触量を増やしてくれます。「電子化タイプ」は，手軽さから外出先での待ち時間に大人が子供に読み聞かせるのに有効で，なおかつ「語り付きタイプ」にあっては，仕事や家事で手が放せないときに，子供が一人で絵本の読み聞かせに没頭してくれるのでとても重宝します。また，背景音楽や簡単な動画が子供を絵本へ誘うきっかけとなるかもしれません。そして，貸し借りこそは難しいものの，比較的廉価なところも魅力で経済的なハードルを下げてくれます。

　教育的な観点から捉えてみると，こうした特長から得られる絵本への接触量の増加は非常に重要です。就学前の子供たちが多くのデジタル絵本を手に取ることで，豊かな言語力と豊かな心の涵養が期待できるからです。つまり，リアル絵本の読み聞かせに多く出会う場合と同様に，絵と文脈の助けによっ

て日常使用を超えた語彙や表現の理解力が増強され，就学後の読書量の増加，登場人物を通した感情経験などの蓄積が期待できるのです。ただし，デジタル絵本は，量や質の確保，個々の絵本のレビューの充実，技術やシステム面などには，まだ成熟度を欠いている部分は否めません。

3. リアル絵本ならではの特色―デジタル化によって失われるスペック

　次に，リアル絵本からデジタル絵本に移植できない良さ，つまりリアル絵本であるがゆえに子供たちに提供できる要素を親子間での状況を念頭に 3 点挙げてみます。

3.1.　リアルに実在するがゆえの愛着形成

　まず，リアル絵本は，デジタル絵本と異なって大きさと厚み，質感をもっている点で存在感に秀でています。乳幼児期の絵本との出会いについて，筆者には次のような経験があります。筆者の息子は，1 歳前に絵本を与えられた際，絵本を掴み，ひっくり返し，叩き，舐めてと，他のおもちゃと同様に五感で触れ，まるで「これは何ものか」と吟味しているかのようでした。そこで，その絵本を筆者が手に取りページを開いて読み聞かせてみると，絵本というものは読んでもらうものだと理解した様子でした。その後は，息子なりにすっかり愛着が生じたのかお気に入りの絵本を抱えて歩いたりもするようになり，ボロボロになったその絵本の姿からもお気に入りは一目で分かりました。

　筆者自身の子供を通じた観察にしかすぎませんが，前述の点を考慮してみると，果たして子供たちは，スマートフォンやタブレット上で出会う絵本にどれだけの愛着を感じるのだろうか，といささか疑問を覚える次第です。

3.2.　絵の広がりを通して自由な想像力へ

　次に，リアル絵本はページ全体に目を向けやすい空間を持っているといった特徴があります。まだ，文字を読めない子供たちは，大人に語り聞かせてもらいながらも自らはページに広がる静止画に見入ったりしています。語られる文章を聴きながらその静止画からも，状況や登場人物の感情を読み取ろ

うとしたりしているのです。それは，子供たちの頭の中で静止画が，語りにより動きを持ち，そして感情を持つに至っているとも言えそうです。[7] 細かな表情や背景の小道具にも目をやり，余白も含めたページのあちらこちらへと目を走らせ，想像力を働かせたりします。その際，絵本の形や大きさ，場面が片面なのか見開きなのかなども想像力に関わる要素となっているようです。[8]

　一方，スマートフォンの場合は手のひらサイズ，タブレットであっても書籍の見開き程度が一般的です。その小さな画面の中の絵を覗き込み，逐次拡大しながら見るのと，広く自由に絵を見渡せるのとでは，子供たちの想像力にも違いが生じるのではないでしょうか。

3.3.　空間共有のしやすさから生まれる対話

　三つ目のリアル絵本ならではの特質は，親が子供の反応を見ながら読み聞かせる速さを調整したり，対話を挟みながら読み聞かせたりするのに向いた形式である点です。親の膝に座って，あるいは横に並んで，愛しく共有し合ってきたのがリアル絵本なのです。

　親と絵本を共有し，ひとたび読み聞かせが始まれば，子供の巧みな創造力から様々な問いかけが生じ，自ずと親子の対話が生まれます。我が子の言語力や知識に合致した言い換え及び状況説明を施しながら，問いに答えていくのです。また，絵本をめぐっての親の発言には，行間を読むよう導くものや，日常表現を超えた少し抽象度が高いものが含まれやすく，子供の言語力を引き上げることにもなります。ゆったり空間共有できるリアル絵本は，こうした絵本をめぐる親子の対話の機会を提供しやすいのです。

　確かに，デジタル絵本であっても，子供と大人が空間を共有し合うことは可能です。しかし，スマートフォンやタブレットは，元来が他者との空間共有を前提に開発されたものではないので，そのデザイン性や操作性において個別化志向の端末と言えます。落ち着いてゆったりと親子で，そしてまた大人と子供で空間共有し，心を通わせることができるのはやはりリアル絵本と言えるでしょう。筆者の息子にあっては，タブレットを手にすると，自分の膝に乗せてほぼ独占してしまいます。筆者は画面を覗き込んで対話を試みるのですが，リアル絵本の場合と比べると雲泥の差がありそうです。

4.　デジタル絵本とリアル絵本のコラボレーション

　さて，ここではこれまで述べてきたデジタル絵本とリアル絵本それぞれの長所を活かし合いまた短所を補い合うべく，デジタルとリアルの絵本が協調し合った読み聞かせ手法を二つほど紹介してみたいと思います。デジタル絵本はデジタルネイティブの子供たちが一人で紐解くことができ，なおかつ彼らを引き付ける工夫が組み込まれた「語り付きタイプ」を取り上げてみます。

4.1　手法①：デジタル絵本で濫読，リアル絵本で対話と精読

　大人の読書の仕方に，濫読と熟読というものがあります。濫読とは「何の方針も立てず，手当たり次第に書物などの本を読むこと」（広辞苑 第六版）であり，様々な文章に出会うのを旨としています。そして，熟読とは「文章の意味をよく考えてじっくり読むこと」（広辞苑 第六版）であり，精選した文章に時間をとって対峙し，分からないところは立ち止まって調べ考えながら読み，より深い理解を目指すのが特徴です。外国語学習では，多読と精読と言われ，併用することで語学力向上に有効とされています。

　「語り付きタイプ」のデジタル絵本は子供の興味を引きやすく，「いつでも」「どこでも」一人で読み聞かせを楽しめると同時に，濫読の機会を与えます。デジタル絵本は開いた履歴が残るものも多いので，この履歴を利用すれば，同じタイトルのリアル絵本や似た内容のリアル絵本を精選し，じっくりと読み聞かせることができるのです。

　新美南吉（作）の『ごんぎつね』は，デジタル絵本が複数配信されています。1943 年初出の原作は小さな子供には分かりにくい語彙や背景を含むため，多くのデジタル絵本では子供用に分かりやすく文章が書き変えられ，可愛らしいイラストの「ごん」が登場します。筆者は，息子が無料のデジタル絵本の読み聞かせアプリ「えほんキッズ」の中の『ごんぎつね』完全版（絵本ムービー）（図 1）を見た後に，リアル絵本で『ごんぎつね』（新美南吉作／かすや昌弘絵，1998 年，あすなろ出版）を読み聞かせ，「おはぐろって，なぁに？」「どうして，お湯を沸かしてるとお葬式って分かるの？」などの多くの問いが発せられるたび，丁寧に答えながら共に理解を深めました。息子は，

既にデジタル絵本で悲しい結末をよく知っているにもかかわらず，再度「ごん」の死を悼み，上手に張られた原作の伏線から，主人公「ごん」の心の動きのみならず「ごん」を撃ってしまった兵十の心情にも着目した感想を話してくれました。

図1：ごんぎつね（絵本ムービー）[9]

　デジタル絵本に濫読を任せ，その中で大人が選んだ絵本をじっくりと熟読する手法です。デジタル絵本で概要を知っていることで，細かな点にも注意が向き，深く鑑賞することができます。昔話や童話はリアル絵本で複数出版されて，同じ題材のものがデジタル絵本でも複数配信されています。デジタル絵本で少し分かりやすく語られた馴染みやすい絵のものを子供一人で視聴し，その後，少し難しい文章や迫力ある絵のリアル絵本で大人と対話をしながらゆっくりと読み進め，深い理解を目指すのです。

4.2.　手法②：デジタル絵本でさわり，そしてリアル絵本でクライマックス

　もう一つの手法は，デジタル絵本で前半部分を読み，続きの後半部分をリアル絵本で読み聞かせるというものです。リアル絵本がそのまま，もしくはあまり大きく変えられずにデジタル化されているものが最適です。デジタル絵本に導入的な役割を任せ，クライマックスは親子でリアル絵本をじっくりと味わうのです。

　筆者は，会員となっている「絵本ナビ」のプレミアムサービス版デジタル

絵本で『モチモチの木』の前半部分を一人で視聴した息子に，後半部分をリアル絵本の『モチモチの木』（斎藤隆介作／滝平二郎絵, 1971年, 岩崎書店）で読んで聞かせました。デジタル絵本では，息子は名俳優のすばらしい語りにすっかり物語の世界に引き込まれていました。ちょっとあきれたような口調で，「よなかには，じさまに　ついてってもらわないと，ひとりじゃ　しょうべんも　できないのだ。」などと語られると，主人公をからかう気持ちだったのか，自分にも思い当たるところがあったのか，ニヤニヤと笑っていました。息子に見せた『モチモチの木』のデジタル絵本は，前半と後半のファイルが分かれていたので，前半が終了したところで画面を閉じました。すかさず発せられた「続きは？もちろん続きはあるんでしょ？」の要求に，今度はリアル絵本を共有し，後半のクライマックスをじっくりと対話しながら味わいました。読了すると，紙のページをパシャパシャ繰ってどんどんと戻り，「モチモチの木に　ひがついている！」の場面で，「ぼく，ここの絵が一番好き」と見開きページいっぱいでも枝葉すべてが収まりきれない構図で描かれた美しいモチモチの木を指さして教えてくれました。また，いしゃさま（医者様）がモチモチの木の「ひ」を月や星や雪による光だと否定するクライマックスで，「子供だけに，見えるんだったね」とつぶやくように言いました。彼のペースに合わせた読み聞かせで，物語の核心に触れる部分を確実に理解し，主人公の恐れや不安や必死さを巧みに想像していたようです。その後，そのリアル絵本はしっかりと息子の部屋の本棚にいかにもよく見える形で鎮座していました。

　デジタル絵本で語る声優の声は心地よく，背景音楽も実に雰囲気を盛り上げてくれます。その盛り上がりを引き継ぎ，クライマックスは子供のペースに合わせた語りと対話で理解を深め，想像力の広がりを支援するのです。

5.　古く新しく豊かな読書を

　スマートフォンやタブレットは一度手にすると，実に便利で手放し難いものです。その利便性を鑑みたとき，親世代がリアル絵本ならではの良さを明確に認識していなければ，ついデジタル絵本ばかりを開くことに陥ってしま

うかもしれません。一方で，リアル絵本に極度にこだわり，リアル絵本のみを借りたり購入したりするのでは，デジタル時代が提供する時間的，あるいは経済的な恩恵を無下に断っていることになります。そこで，デジタル絵本の現状と利点，リアル絵本ならではの良さを示し，両者を活かした手法を提案しました。プライベートな親子間での実践を多々盛り込みましたが，その実践を経たからこそ子供の感動の原点にも思い至ることができました。デジタルネイティブの子供たちが，時間や場所や目的に合わせてデジタル絵本とリアル絵本を随意に紐解く一助となれば幸いです。そして，デジタル絵本とリアル絵本で獲得した読書習慣により，古の叡智を受け継ぎつつ時代に合った真の意味での豊かな読書生活を過ごしてくれることを切に願っています。

注

1) 出版科学研究所　NEWSRELEASE「2018 年の出版市場規模発表」．
   https://www.ajpea.or.jp/information/20190125/index.html
2) 出版科学研究所「児童書マーケットを検証する」『出版月報』2019 年 9 月号，pp.6-8.
3) ベネッセ教育総合研究所「第 5 回 幼児の生活アンケート レポート［2016 年］」（PDF）．
   https://berd.benesse.jp/up_images/research/YOJI_all_P01_65.pdf
4) ベネッセ教育総合研究所「第 2 回 乳幼児の親子のメディア活用調査 速報版［2017 年］」（PDF）．
   https://berd.benesse.jp/up_images/research/sokuhou_2-nyuyoji_media_all.pdf
5) 出版科学研究所「児童書マーケットを検証する」前 掲載書，p.13.
6) 呉淑琴「幼児のマルチメディア絵本の読み過程に関する一考察」『日本保育学会大会研究論文集』No.50，1997 年，pp.520-521.
7) 松居直「絵本がめざめるとき」河合隼雄・松居直・柳田邦男『絵本の力』岩波書店，2001 年，pp.47-81.
8) Yokota, J. "From print to digital? Considering the future of picturebooks for children." In G. Grilli(ed.). *Bologna: Fifty years of children's books from around the world.* Bononia University Press. 2013, pp.443-449.
9) えほんキッズ『ごんぎつね』完全版（絵本ムービー）
   https://www.youtube.com/watch?v=rLhTSY6qJUs

希薄化する以心伝心のコミュニケーション
―「察し」が問いかける今日的意味とその育み方―

佐川　眞太郎

1.　象徴的コミュニケーションの今昔

　「はい，108円ね」。こちらが財布からお金を取り出し，店員へ手渡そうとすると，その手には2円が握られています。

　駅の売店で買い物をするとき，こちらは大抵急いでいます。「以心伝心」「阿吽の呼吸」，そんな言葉が浮んできます。しばしば理想的なコミュニケーションスタイルとして引き合いに出されることの多い対話文脈ですが，実際にそのようなやりとりを体験したり見聞したりすることが，現代社会では極めて稀になってきたように思います。

　近頃，売店やコンビニでは現金ではなく電子マネーを使う場面が多くなりました。一連の情報化の流れの中でキャッシュレス化が志向されるようになったからです。結果，売店では支払い方法を確認する手間が増え，以前に比べお互いぎこちない動きになってしまいました。とても便利な世の中になったはずなのに，やりとりはどこかちぐはぐになった気がするのは筆者だけでしょうか。

2.　届いてこない心の声

　筆者は大学で，学生を対象としたカウンセリングの仕事をしています。現代の若者たちにあっては，対人関係が深まる場面になると不安が高まり，回避しようとする特徴があると言われています。「ふれあい恐怖」[1]と言われる現象です。実際のカウンセリング場面でも，「深い関係になるのが面倒，怖い」「周りから自分がどう思われているのか，いつも気にしている」といった語りをよく耳にします。

　カウンセリングでは，とにかく相手の話にじっくり耳を傾けるのが大切です。カウンセリングの基本とも言える態度です。しかし，不謹慎な話のように思われるかもしれませんが，学生たちの話に耳を傾けていると，集中して聴いているのがしんどくなってくるということがあります。ときに眠気に襲われることすらあります。筆者も最初は反省の念に駆られていましたが，ある時から，どうも不真面目とか怠慢とか，そういう理由ではないのかもしれないと考えるようになりました。そのような状態になるときは，決まって似通った状況であることに気付いたからです。それは，相手が何度も同じ話を繰り返していたり，一方的に一人語りのように語っていたりといった状況です。切実な悩みや困り事を語っているにもかかわらず，そしてまた，それに関わる相談に訪れているにもかかわらず，その訴え方には淡々さが目立ち，気持ちがこもることなく，まるで他人事のように聞こえてくるのです。つまり，学生の声がこちらに向かってきていない，届いてこないといった具合です。そのことを学生に伝えると，多くの学生が納得し，ついには，実は「自分の気持ちを伝えることで，相手と親密な感じになるのが怖い」といった，本来の悩みを吐露するに至ったりするのです。

　どうも，私たちの日々のコミュニケーションのあり方にも何かしらの変化が生じてきているように思われてなりません。

3.　コミュニケーションの要諦
3.1.　言語的コミュニケーションと非言語的コミュニケーション

　コミュニケーションには言語的コミュニケーションと非言語的コミュニケーションの二つの側面があると言われます。

　言語的コミュニケーションは，そのものずばり，言葉を使ったコミュニケーションのことです。手話や筆談のように必ずしも音声を伴っている必要はありません。非言語的コミュニケーションは，表情や視線，しぐさ，ジェスチャー，あるいは声のトーンやピッチといった，コミュニケーション上で生じている言葉以外のあらゆる要素が含まれます。

　そして，言語的コミュニケーションは基本的に意識的に行われるのに対し

て，非言語的コミュニケーションは無意識的に行われる場合も少なくありません。しぐさや声の出し方などは，知らず知らずのうちに，習慣的に身に付いてきたものだからです。

　私たちのコミュニケーションは，このような言葉を用いた意識できる領域と，非言語的な意識しにくい領域とで成り立っています。

3.2.　コミュニケーションはすぐれて音声的である

　私たちは大抵，相手が何を言っているのか，その言葉に意識を向けて話を聞きます。話をするときにも，大抵は話す内容に意識を向けています。しかし，言葉以外の部分もコミュニケーションに大きく関わっているのです。「とげとげしい物言い」や「甘いささやき」といった表現などは，そのことを如実に表しています。私たちのコミュニケーションは非言語的な要素によって，その意味やニュアンスが決定付けられてもいるのです。

　アメリカの精神科医，ハリー・スタック・サリヴァン（1892-1949）は，「人間が心底からほんとうに言いたいことの手がかりはたいてい耳経由で届くもの」[2]とし，コミュニケーションにおける音声の役割の重要性を説きました。身近な例で言えば，体調を崩している家族，あるいは友人に会いに行ったり電話をかけたりして，「声を聞けてよかった」などと伝えたことはありませんか。あるいは伝えられたことはありませんか。音声などの非言語的な要素は私たちのコミュニケーションにおいてとても大切な役割を担っているのです。

3.3.　非言語的コミュニケーションから始まるコミュニケーション

　なぜ，コミュニケーションには言語的側面と非言語的側面とがあるのでしょうか。その答えを探るために，コミュニケーションが発生する場面を見ていくことにしましょう。そう，赤ちゃんを取り巻くコミュニケーション世界を眺めると分かりやすいかもしれません。

　赤ちゃんにはまだ言葉がありません。生まれたばかりの新生児は視覚や聴覚といった五感の感覚すら明瞭ではありません。お腹が空いたとき，暑いとき，寒いとき，どうやって身近な人に伝えるのでしょうか。どうするかと言えば，とにかく泣きます。泣くことで何かしらの要求を伝えようとします。

親は赤ちゃんをあやし，赤ちゃんの要求を何とか探り当てようと試みます。最初はなかなかうまく汲み取れなくても，試行錯誤のうちに，赤ちゃんの反応を見ながら次第にその要求内容に見通しが立つようになっていきます。そして，お互いのやりとりが成立していきます。ここで，重要な役割を担っているのは，表情やしぐさ，声のトーンやピッチといった声の持つ情報です。目に見えない，言葉にできない，非言語的な情報を親は何とかキャッチしようと努めます。このように，コミュニケーションは非言語的なコミュニケーションを始発点として発生し，言葉の獲得とともに言語的な側面が優位になっていくのです。

3.4.　「察し」が織り成すコミュニケーション

　コミュニケーションにおいて，言語的な側面が優位になっていくからといって，非言語的側面が失われるわけではありません。

　この非言語的な情報を掴む心の働きのことを，私たち日本人は「察し」と呼び称してきました。人物を評するときなどに，「察しが良い」「察しが悪い」などと言ったりします。辞書には「人の様子や表面上の言動などから本当の意図をくみとること」[3]とあります。まさに，これまで述べてきた非言語的コミュニケーションに他なりません。「察し」という，私たちにとって馴染み深い心の働きがコミュニケーションを成り立たせる重要な役割を担っているのです。では，私たちは相手の意図をどのように汲み取っているのでしょうか。次に示すのは，ある親子へのカウンセリング場面です。

　親の傍らで1歳になる男の子と遊びを介してコミュニケーションを図っていました。彼はプラレールの電車に興味を持ち，手で動かして遊んでいました。筆者がスイッチを入れて動かしてみせると興味深く眺めていました。しかし，勝手に動くのが怖いようで，遠目から眺めるだけで触れようとはしません。そして，筆者の背中に隠れて左右に交互に顔を出して，レールを走る電車を見ていました。その時，「ウフ，ウフ」と声を出しているのに気付きました。初めはうなり声の一種かと思っていましたが，よくよく聴いていると「ンッフン，ンッフン」とリズムを刻んでいるように感じました。もしかしたら，電車の走る音に合わせているのかもしれないと思いました。こちら

も「ンッフン，ンッフン」と声を合わせてみると，今度はこちらをしっかり見やってニタッと，嬉しそうに笑うのでした。

「ンッフン，ンッフン」という男児の声の中にリズムのようなものを感じ取ったわけですが，なぜリズムが感じられたのでしょうか。それは，彼の発声はある一定の周期を刻んでいるからリズムであろうというような分析的な，知的な理解によってなされたのではなく，筆者のからだが思わず，彼の動きに合わせて，左右に動くような，そのような動きを感知したからに他なりません。

身近な例で言えば，誰かの傷などを目にした際に思わず自分のからだが痛むような気がしてきたり，スポーツ選手を応援しているときに思わずからだに力を込めていたりすることがあろうかと思います。つまり，他者の心，あるいは意図を汲み取る働きはからだを介して行われているのです。非言語的な情報は，からだを通じて感じ取られているのです。それを私たちは「察し」と呼んでいるのです。

4.　「察し」が問いかける今日的諸相
4.1.　非言語的コミュニケーションの乏しい現代

友達に連絡をしようと思ったら，夜遅くならないように気遣いながら，できれば本人が出てくれるといいなと思いながら受話器を取り，ボタンを押す，あるいはダイヤルを回す。筆者が高校生だった頃までは，ごく当たり前の光景でしたが，それから約30年，今はもう，ほとんど見られなくなった光景かと思われます。

当時は個人で携帯電話を持つ人などほとんどおらず，主な連絡手段は固定電話でした。一般の人々が電子メールを使い始めたのはWindows95が発売された1995年以降だったと思います。つまり，それまではコミュニケーションのほとんどは声を通じて行われていたのです。相手が上の空だったり急いでいたりすれば，そのことが直接に伝わってきます。音声を直接交わし合える電話ですら，相手の表情や雰囲気などが読み取れないという理由で，大事な話がある場合には，やはり対面でという風潮が色濃かったように記憶しています。

　確かに，電子メールや SNS での連絡は便利であり，楽です。それは，この時間に電話をかけたらまずいとか，相手の機嫌の善し悪しとか，そういった相手の条件に左右されずに要件を伝えることができるからに他なりません。直接的に，コミュニケーションの場に自分のからだを持ち込む面倒がなくなることが最大の利点です。あくまでも間接的なやりとりであるため，お互いの関係が不用意に深まることを避けられるといった側面もあるでしょうが，その一方で，深刻な問題の見過ごしも危惧されるところです。

　もしかすると，現在の SNS といったテキストメッセージベースの，つまりは視覚中心のコミュニケーション文化は，本来的な非言語的コミュニケーションの土壌を貧しくさせている要因となっているかもしれません。専ら視覚ばかりが優位となり，からだ全体の感覚がどんどん鈍くなっている気がしてなりません。

4.2.　形式化が進む学び—教育現場における危機感

　先ごろ，2020 年度から小中学校で始まる新学習指導要領において，認知能力だけでなく，非認知能力の育成の重要性が盛り込まれました。非認知という耳慣れない言葉を用いていますが，読み書き計算といった目に見える形でその成果を確認できる能力と比べて，目に見えない内面の力のことを指しています。例えば，自尊心や自制心といった自分自身の生き方を実現していくための力や共感性や社交性といった人と関わっていくための力のことです。

　「察し」は，まさに非認知的能力です。このような知は，これまで日常生活の中で，知らず知らずのうちに育まれていくものでした。学校教育の枠組みではなく，家族あるいは地域の人々との関わりの中で習得することを前提としていたところがあります。いま，教育現場では，このような性質の知の習得について，皮肉にも明文化，形式化して取り組まざるを得ない状況になっているというのはとても残念な話です。

4.3.　コミュニケーションの視点で捉えたハラスメントと忖度

　近年，ハラスメントはマスコミ等でも取り上げられることがとても多くなりました。センセーショナルなケースが取り上げられる一方で，実に細分化

され，例えば匂いによって相手に不快感を与える行為は「スメルハラスメント」といった具合に，あらゆる事柄がハラスメントの対象となり，際限がなくなってきてもいます。また，政治や行政における不正や汚職などをめぐっては，「忖度」という言葉が注目を浴びたのも記憶に新しいところです。それらはいずれも質の異なる事柄のように聞こえそうですが，発現の根が「察し」の欠落といった観点から捉えれば，共通する部分も少なくありません。「察し」の働きが不足している場合がハラスメントであり，それが過剰な場合が「忖度」になります。いずれも双方向コミュニケーションからは程遠い一方向的なコミュニケーションによる機能不全がもたらしている問題なのです。

4.4.　なぜ「察し」が必要なのか

　ここまでコミュニケーションにおける「察し」の重要性について話してきました。一方，感情に煩わされない方が楽じゃないか，効率的じゃないかという考えもあるかもしれません。

　カウンセリングでこんな場面がありました。

　ある女子学生が大学生活のつまずきや自分自身の性格，家族との関わり方などを主な相談事として訪れてきました。彼女の話に耳を傾けていると，父親への不満や怒りを吐露するようになりました。しかし，驚いたことに，そうした不満や怒りを，なぜか，独特な笑い声をあげながら語るのです。とても奇妙な感じでしたが，その笑いに耳を澄ませると，呼吸は荒く声は震え，決して楽しくて，嬉しくて笑っているわけではないことが分かりました。とても苦しそうでした。彼女に，あなたの大変さはその不満や怒りにあるのではなくて，それをそのまま表現できない苦しさにあるのではないか伝えると，はっとした表情を浮かべ，うなだれ，涙を流すのでした。

　私たちは，相手が苦しいと語るから苦しいと理解するわけではないのです。その声色を通じて感情の交流が成り立っているのです。カウンセリング場面で彼女の語る内容を取り上げていただけでは，根本的な苦しみにたどり着かなかったでしょう。

　感情に煩わされない方が楽じゃないか，便利じゃないかということはそのとおりでしょう。しかし，それは私たちのコミュニケーションにおける，あ

る一部分の楽さ，便利さにすぎないのではないでしょうか。冒頭にいまどきの学生たちの様子を描きましたが，彼らは決して関わりを拒んでいるわけではありません。関わりたいけれども関わりたくない，そのような葛藤に，身動きのとれなさに苦しんでいるのです。

　そもそも，コミュニケーションは非言語的なやりとりを，つまり「察し」という心の働きを土台として成り立っています。「察し」の乏しさはこのような姿で，とても苦しい，不自由な生き方となって現れるのです。

5.　自由なコミュニケーションのために
5.1.　「察し」とからだ

　コミュニケーションにおける察しの重要性について述べてきましたが，最後に，その「察し」の力を育む方法を考えてみたいと思います。

　「察し」はからだを介して成り立っていると述べました。つまり，「察し」の力を育むということはからだの感覚を磨くということに他なりません。そこで，筆者が学生に対して実施したグループワークをここで取り上げてみたいと思います。

　聴覚障害を抱えていたがゆえに，演出家であるとともに独自の対人援助の方法を編み出した竹内敏晴（1925–2009）という方がいます。ある時，彼の提案しているレッスンの一つを真似て，学生と一緒にやってみたことがあります。「呼びかけのレッスン」[4] と言います。具体的には，一人が呼び掛け役になります。そして，残りの人には後ろ向きに，並んで座ってもらいます。次に，呼び掛け役の人は，誰か一人を定め，その人の後ろ姿に向かって呼びかけます。座っている人たちは，自分が呼び掛けられたと思ったら申し出ます（図1参照）。その後，感想を言い合います。

　それはとても新鮮な，驚くべき体験でした。実際にやってみることをお勧めしますが，人によって声が途中で失速して届かなかったり，拡散して誰に向かっているのか分からなかったりするのです。これがひとたび上手く展開できると，声を通じて聴覚的な情報だけでなく空気の流れのような触覚的な情報なども含め，からだを通じて様々なことがありありと伝わってくるよう

になります。学生たちも随分と興奮していました。

　このワークは，呼び掛け役としての相手に声を届ける体験と，聴き手としての声を聴き分ける，声を感じ取る体験とに分けることができます。聴き手としての体験を述べましたが，話し手としての体験はまた違います。話し手としては，相手に呼び掛けるわけですが，なかなか相手が申し出てくれません。次第に必死になっていくわけですが，それでも届かないということが続く場合もあります。声を大きくしてもだめ，声を張ってもだめ。試行錯誤しながら，なんとか相手をめがけて声を届かせようとするつもりで呼び掛けます。ようやく，相手が手を挙げて自分に届いたと申し出てくれます。声が相手に届くと，なんだか嬉しい気持ちにもなるのです。

　ここには，相手に声を届かせようという思いと，相手の声をキャッチしようという思いがあり，両者の思いが重なり合った結果として，呼び掛けが成り立つということになります。

　竹内は，このような瞬間こそを「触れ合い」だと言います。コミュニケーションの醍醐味はここにあります。筆者はここで起こっていることこそが「察し」が結実した本来のコミュニケーションの姿ではなかろうかと思うのです。

図1：「呼びかけのレッスン」を真似たグループワーク

5.2.　「察し」を学ぶ方法

　先ほどのようなワークを通じた，からだの感覚を通じた体験は，「察し」を学ぶ一助になると思います。学校教育の中で，先生が学級のコミュニケー

ション促進の一環として，親子のコミュニケーションを促すことを狙った保護者会のネタとして，また，保健師さんが地域の子育て支援の場などで実践してみるのはどうでしょうか。しかし，それでは，そのような場が提供されなければ学ぶことは難しいということになります。ましてや自分が場を提供する側になるというのも大変です。とても気軽かつ継続的にはできなさそうです。そこで，筆者自身は，自分なりにアレンジして実行に移しています。

　子供が，テレビに夢中になって呼び掛けに応じない，あるいは，朝，ベッドでごろごろして起きてこないとき，そのような日常の何気ない場面で「呼びかけのレッスン」で学び得たことを試しています。まっすぐ，子供に届くように，呼び掛けます。うまくいったとき，ぱっとこちらを振り返ります。そして，「よしっ」と一人密かに心の中でつぶやきます。

　いま述べた例は，呼び掛け役としての体験的学びの場面ですが，聴き手としての体験的学びの場面にあってはこうなります。研修や講演会，学会などに参加することが多々あります。その時に，資料などは見ずに，目をつぶり，発表者の声だけに集中して聴いてみるのです。資料は随分立派なのに声はこちらには届いてこなかったり，その逆であったり，資料を見ながら，内容に意識を向けて聴くのとは随分違った体験になります。

　紹介させていただいたのは，あくまでもささやかな私的実践にすぎませんが，読者の皆さんの参考になれば幸いです。

6.　おわりに

　「触れ合い」といった言葉など，既に死語でしょうか。様々な社会的な制約も多くなり，「触れ合う」ことがますます難しくなってきています。便利さや効率性の片側で，「触れ合う」機会が減れば減るだけコミュニケーションへの恐れや抵抗は強くなっていくでしょう。正直なところを言えば，「察し」のような日常生活の中で育まれていく，非認知能力と呼ばれるような力を，果たしてワークのような形式的な枠組みの中で育むことができるのだろうか，もしかしたら矛盾しているのではなかろうかと自問自答したりすることもあります。しかし，かつては日常にあった「察し」の育まれる機会が乏し

くなりつつあるのも否定できない現実です。意識的に育む機会を創り出して
いくのも今の時代の要請なのかもしれません。「矛盾しようがしまいが，と
にかくやってみることが大切」，そしてまた「無からは何も生まれない」と
自分に言い聞かせながら，日々学生と接する今日この頃です。

注

1) 心理学者の岡田努が提唱した，現代青年にみられる特徴。
2) ハリー・スタック・サリヴァン（著）・中井久夫他（共訳）『精神医学的面接』みすず書房，
   1986 年，pp.23-24
3) 『大辞林第四版』三省堂，2019 年．
4) 竹内敏晴『声が生まれる』中央公論新社，2007 年，pp.132-138．

英語資格試験に散りばめたいアナログ視点
—コンピュータテストでは測れない英語力の要素—

志村　昭暢

1.　今，注目の英語試験

　「あなたは英語がどのくらいできますか？」と聞かれたときに，どのように答えるのでしょうか。「結構しゃべれると思います」と答える人もいれば，「日常会話程度ならできる」と答える人もいるかもしれません。「留学してたからそこそこ……」や「全然ダメ！」という人もいると思います。「英語ができる」という答えは人それぞれですが，就職や進学の際の面接で聞かれた場合は，より具体的なエビデンスを求められることがあります。例えば，「英検準1級を取得しているので，英語圏での生活にも困らない程度の英語力があると思います」や「TOEICで900点取得しているので，英語力には自信があります」などと，英語資格試験の級やスコアによるエビデンスを入れることで，その人の英語力を主観的ではなく，客観的に示すことができます。

　特に最近は，2020年度から大学入試共通テストへの英語資格試験（英語民間試験）の活用が文部科学省から提起され，全国の大学でその活用方法が議論されました。その後，英語資格試験に向けての準備が行われていましたが，2019年11月1日に大学入試への活用延期が発表され，様々な視点から英語資格試験が注目されることとなりました。ニュースや新聞・雑誌はもちろんのこと，ネット上でも連日英語民間試験導入についての是非が問われ，活用予定の英語資格試験についても注視されています。

　英語民間試験として活用予定の英語資格試験は，ケンブリッジ英語検定，実用英語技能検定（英検），GTEC，IELTS，TEAP，TEAP CBT，TOEFL iBTの7種類で，いずれも日本国内で多く実施されている英語資格試験ではありますが，一部の試験は中高生が受験することを想定したもので，

学校関係者や中高生やその保護者以外には馴染みが薄いものもあるかもしれません。また，日本で最も知られている試験の一つであるTOEICは2019年7月に大学入学共通テストへの参加を取り下げているので，今のところは英語民間試験として活用されません。

　それぞれの英語資格試験は目標や出題傾向，試験方法，受験料や受験地など多くが異なっていますが，大学入試共通テストでは，それらの英語運用能力を外国語の学習・教授・評価のためのヨーロッパ言語共通参照枠（CEFR：セファール）と呼ばれる基準を用いることで，換算することができるとしています。CEFR は EU で利用されている英語を含むヨーロッパ言語の運用能力を測るための指標で，言語の読む・聞く・話す（表現とやりとり）・書くについて，「〜ができる」形式で書かれたもので，一番下のレベルとして，基礎段階の言語使用者である A1 レベルから，熟達した言語使用者である C2 レベルまでの 6 段階で言語使用能力を示しています。例えば，英検の準1級レベルである，B2 は，自立した言語使用者とされており，話すことについては，「母語話者とはお互いに緊張しないで普通にやり取りができるくらい流暢かつ自然である」と示されています。すべての指標を表 1 に示します。また，文部科学省では，各試験・検定試験と CEFR との対応表を示しています（表 2）。

表 1：外国語の学習・教授・評価のためのヨーロッパ言語共通参照枠[1]

段階	CEFR	能力レベル別に「何ができるか」を示した熟達度一覧
熟達した言語使用者	C2	聞いたり読んだりした、ほぼ全てのものを容易に理解することができる。いろいろな話し言葉や書き言葉から得た情報をまとめ、根拠も論点も一貫した方法で再構築できる。自然に、流暢かつ正確に自己表現ができる。
熟達した言語使用者	C1	いろいろな種類の高度な内容のかなり長い文章を理解して、含意を把握できる。言葉を探しているという印象を与えずに、流暢に、また自然に自己表現ができる。社会生活を営むため、また学問上や職業上の目的で、言葉を柔軟かつ効果的に用いることができる。複雑な話題について明確で、しっかりとした構成の詳細な文章を作ることができる。
自立した言語使用者	B2	自分の専門分野の技術的な議論も含めて、抽象的な話題でも具体的な話題でも、複雑な文章の主要な内容を理解できる。母語話者とはお互いに緊張しないで普通にやり取りができるくらい流暢かつ自然である。幅広い話題について、明確で詳細な文章を作ることができる。
自立した言語使用者	B1	仕事、学校、娯楽などで普段出会うような身近な話題について、標準的な話し方であれば、主要な点を理解できる。その言葉が話されている地域にいるときに起こりsuch、たいていの事態に対処することができる。身近な話題や個人的に関心のある話題について、筋の通った簡単な文章を作ることができる。
基礎段階の言語使用者	A2	ごく基本的な個人情報や家族情報、買い物、地元の地理、仕事など、直接的関係がある領域に関しては、文やよく使われる表現が理解できる。簡単で日常的な範囲なら、身近で日常の事柄について、単純で直接的な情報交換に応じることができる。
基礎段階の言語使用者	A1	具体的な欲求を満足させるための、よく使われる日常的表現と基本的な言い回しは理解し、用いることができる。自分や他人を紹介することができ、住んでいるところや、誰と知り合いであるか、持ち物などの個人的情報について、質問をしたり、答えたりすることができる。もし、相手がゆっくり、はっきりと話して、助けが得られるならば、簡単なやり取りをすることができる。

表 2：各資格試験・検定試験と CEFR との対応表（平成 30 年 3 月）[2]

CEFR	ケンブリッジ英語検定	実用英語技能検定 1級-3級	GTEC Advanced, Basic, Core, CBT	IELTS	TEAP	TEAP CBT	TOEFL iBT	TOEIC L&R S&W
C2	230 - 200			9.0 - 8.5				
C1	199 - 180	3299 - 2600	1400 - 1350	8.0 - 7.0	400 - 375	800	120 - 95	1990 - 1845
B2	179 - 160	2599 - 2300	1349 - 1190	6.5 - 5.5	374 - 309	795 - 600	94 - 72	1840 - 1560
B1	159 - 140	2299 - 1950	1189 - 960	5.0 - 4.0	308 - 225	595 - 420	71 - 42	1555 - 1150
A2	139 - 120	1949 - 1700	959 - 690		224 - 135	415 - 235		1145 - 625
A1	119 - 100	1699 - 1400	689 - 270					620 - 320

これらの英語資格試験の試験形式は，コンピュータを利用して行う形式と，紙ベースで行う形式が混在しています。コンピュータを利用した試験としては，GTEC CBT・TEAP CBT・英検 CBT・TOEFL iBT で，TOEIC Speaking & Writing もこの形式です。コンピュータを利用した Speaking 試験は，パソコンやタブレットにヘッドセットを接続し，音声を録音する形式になっています。紙ベースの試験としては，ケンブリッジ英検・実用英語検定（従来型）・IELTS・TEAP が挙げられます。TOEIC Listening & Reading も紙ベースの試験です。Speaking 試験は面接官との会話形式で行われ，ケンブリッジ英検は，面接官 2 名と受験者 2 名で試験を行い，面接官 1 名と受験生 2 名のやりとりについても評価されます。

コンピュータ利用による「デジタル式の試験」と，紙ベースによる「アナログ式の試験」にはそれぞれ利点や問題点，更には受験者の好みもあります。現在「アナログ式」で行われている試験についても，受験生の増加や採点者の手間を考え，「デジタル化」を検討している試験もあります。TOEFL や英検も以前は紙ベースの「アナログ式」でしたが，現在はアナログ式も残しつつ，デジタル化を進めています。英語資格試験がデジタル化することにより，試験にかかる経費の節減や，結果の返却が早まる等のメリットもあるかと思われますが，デジタル化することによって，果たして正しい英語力を測ること

ができるのでしょうか。これからの英語資格試験に散りばめたい，アナログ視点として，Speaking 試験に注目し，デジタル形式であるコンピュータ利用の試験では測ることができない英語力について考えてみたいと思います。

2.　なぜ大学入試に英語資格試験が利用されるようになったか

　大学入試に英語資格試験が導入されるきっかけとなったのは，以前からずっと燻り続けていた「日本人は英語を中学校・高校と 6 年間学んでいるのになぜ話せるようにならないのか？」という財界及び保護者からの疑問や批判に対応するためとも言われています。日本の中学校・高等学校の英語授業は受験に対応するために，英語を読むことや書くことが中心で，話すことや聞くことがあまり行われていないと言われていました。しかし，高校入試や大学入試にリスニング試験が実施されることが増え，聞くことの指導は増えましたが，話すことや書くことの指導があまりなされていない現状がありました。そこで，現行の学習指導要領では，中学校で英語を聞く・話す・読む・書くの 4 技能をバランスよく指導することが主張されました[3]。高等学校では，英語の授業を英語で行うことを基本とすることに改定され，授業科目もこれまでの技能別から，「コミュニケーション英語」や「英語表現」という名称に変更となりました[4]。その成果を測るために，英語の 4 技能を客観的に評価できる，英語資格試験を大学入試に取り入れることが検討されたのです。

　また，近年のグローバル化，交通，通信などの進化に対応するためには，これまでの英語を読む・聞くだけの能力に加えて，話すことも重要になってきます。SNS に英語で自分の意見を発信する機会も増えるかもしれません。より多くの「イイネ（=like）」や「♡」をもらうには，日本語ではなく，英語で発信する力も必要なのです。これからの急速な少子高齢化に対応するために，外国人の受入れ枠が更に増えていくことが予想されます。今はまだその言語コミュニケーション上の制約もある関係で，需給バランスが機能しているとは言えませんが，今後は条件が緩和され，フィリピンやインドネシア等からの日本語が堪能ではない看護師や介護士も受け入れることになるかもしれません。そうなった時には，共通語として英語でコミュニケーションを

取ることが必要となり，英語が話せると将来，より細やかな医療や介護が受けられる可能性が高まります。

　また，大学の授業もグローバル化と少子化の影響により，多くの留学生を受け入れることとなり，英語による授業の提供が求められています。少子化により学生の数が減り，留学生の受入れ枠を増やしている大学が増えてきています。また，専門の授業を英語で行うことで，英語と専門分野の両方を習得させることを目的とした授業を開設している大学もあります。大学の授業が英語で行われるならば，日本人学生も高い英語力，特に授業でのディスカッションに対応できるだけの英語によるコミュニケーション能力，レポートや試験に解答するためのライティング力が必要になります。そのためには，大学に入学してからではなく，それ以前から4技能のバランスの取れた英語を学び，それを証明するために英語の資格試験のスコアがエビデンスとして必要になってきます。

3.　各英語資格試験の目的の違い

　英語の資格試験は受験者の英語力を証明するだけではなく，それぞれの試験には測りたい英語力の目標が異なっており，それぞれに特徴があります。大学入試共通テストへの英語資格試験（英語民間試験）の活用が予定されている試験に TOEIC を加えて分類すると，以下のようになります。

① **英語圏へ留学するための英語力の保証のための試験**
　　IELTS：イギリス・オーストラリア・ニュージーランドなどへの留学
　　TOEFL iBT：北米などへの留学
② **英語能力の認定**
　　ケンブリッジ英語検定：ヨーロッパでの非英語母語話者の英語力の証明
　　実用英語検定：日本での社会で通用する実用的な英語力の証明
　　GTEC：日本の中学校や高等学校で学んだ英語力の証明
　　TEAP：日本における「大学教育レベルにふさわしい英語力」の証明
　　TOEIC：世界共通の英語によるコミュニケーション能力の証明

　どの英語資格試験を受験するかは，自身の「英語ができる」ことの目標によって異なるのではないでしょうか。例えば，将来英語圏に留学して，その経験を活かして就職したいと考えている人は TOEFL や IELTS の受験がお勧めですし，外資系の企業や大手企業で英語を活かした仕事をしたいと考えているならケンブリッジ英語検定や TOEIC が向いているかと思います。ただ，これらの試験は日本人だけを受験対象としていないので，日本の学習指導要領に関してはほとんど考慮していない出題内容となっています。ケンブリッジ英語検定の一部には対応しているものもあります。ですので，それぞれの試験に合った対策を行う必要があります。例えば，TOEIC はビジネスに関する場面での出題があるので，職業経験のない高校生には少し戸惑う場面があるかもしれません。また，TOEFL や IELTS は大学での授業場面についての出題が多いので，生物学や歴史学など大学の教養レベルで学ぶ専門用語についても学習する必要があります。

　日本国内で英語が使えることを証明するだけでよければ，英検や GTEC，TEAP がお勧めです。日本の学習指導要領を考慮した出題内容になっているので，日々の英語授業や受験勉強の延長線上に試験があるイメージです。ただ，将来就職などで履歴書に英語の資格を書く際，GTEC や TEAP は比較的新しい試験のため，企業の就職担当者にとっての知名度はあまり高くない可能性があります。

　以上のように，英語資格試験とは，それぞれ目的が異なっているので，どの試験が簡単かを考える人も多いようですが，自分の目標に合った資格試験を受験することをお勧めします。

4.　各英語資格試験の試験方法と評価法の違い

　英語資格試験については先ほども簡単に説明しましたが，出題方法も大きく異なります。コンピュータ利用（デジタル）と紙ベース（アナログ）の2種類があります。どの試験も英語の4技能を測ることができますが，今回はデジタルとアナログによる試験形式の影響が顕著な Speaking 試験について考えていきましょう。

　表 3 はこれまでに取り上げてきた英語資格試験の Speaking 試験の出題と評価の方法をまとめたものです。ただし，試験によっては CEFR のレベルごとに異なる試験を実施しているものもあるため，CEFR の B2 レベルを測る試験だけでまとめてみました。

表 3：CEFR B2 レベルの資格試験における Speaking 試験の出題・評価法[5]

	ケンブリッジ英語検定 B2 First	英検準 1 級（現行）	英検準 1 級（CBT）	GTEC	IELTS
実施方法	試験官 2 名と受検者 2 名	試験官 1 名と受験者 1 名	パソコンによる録音	タブレットによる録音	試験官 1 名と受験者 1 名
D/A	A	A	D	D	A
時間	14m	約 8m	15m	20m	11 － 14m
問題数	4	5	5	12（小問 6 問含）	3
やりとり	あり	多少あり（疑似的）	なし	なし	あり
採点者	・訓練を受けた採点者 ・原則学士以上， ・TESOL 等の有資格者 ・英語指導歴 3 年以上現場からはなれてない者 ・非英語母語和やの場合は評価するレベルの 2 つ上の CEFR レベルの英語力を有していること	・英語力を証明する資格や英語教育に関する経験などを条件 ・採用前トレーニングと採用テストを課し，一定水準を上回り，採点者として適切と判断される	・英語力を証明する資格 ・英語教育に関する経験などを条件 ・採用前トレーニングと採用テストを課す	英語力と採点力を見極める独自の筆記試験及び面接等を課し，ベネッセが定める選定評価基準に合格できた者	・学士号又は修士号保持者 ・TEFL/TESOL などの有資格者 ・16 歳以上の英語を母国語としない学者を対象とす英語指導歴 3 年以上またはそれに相当する指導歴を有する
採点方法	試験官 2 名のうち，1 名は質問役と全体評価。もう 1 名は評価基準ごとに評価を行い，会話に加わらない。試験官とのやり取りだけでなく，受検者同士のやり取りも評価の対象	採点は 1 名の面接官が行い，面接及び採点精度の維持のため，各受験者とのやりとりは IC レコーダーにより録音	採点は 1 名の面接官が行い，必要と判断された答案には，採点経験が豊富な採点者による再採点を行う	常に 1 つの解答を 2 名で採点。採点が異なる場合は上位の採点者が採点を確定する	採点は 1 名の面接官が行う。スピーキングテストは録音され，必要に応じて上級採点官よりモニタリングを受ける
受験料	18,500 円	7,600 円	9,800 円	9,900 円	25,380 円

	TEAP	TEAP CBT	TOEFL iBT	TOEIC S&W
実施方法	試験官 1 名と 受験者 1 名	パソコン による録音	パソコン による録音	パソコン による録音
D/A	A	D	D	D
時間	10m	30m	17m	20m
問題数	4	8	4	11
やりとり	多少あり（疑似的）	なし	なし	なし
採点者	認定された採点者による採点。英語力を証明する資格や英語教育に関する経験などを条件としている	認定された採点者による採点。英語力を証明する資格や英語教育に関する経験などを条件としている	・米国 ETS で訓練を受けた採点官 ・学士もしくはそれ以上の学位を取得 ・高校，大学，または成人学習において ESL 教育経験を持つ者	ETS の認定を受けた採点者
採点方法	採点を 2 名で行い，採点結果に差があった場合は，採点経験が豊富な採点者による再採点を行う。試験内容は録音され，採点に利用される	最低 2 名で採点し，2 名の採点結果に大きな差異があった場合は，採点経験が豊富な採点者による再採点を行う	録音された音声データを 3 ～ 6 名の採点者により採点，SpeechRater® という自動採点システムを併用	大学入試英語成績提供システムへの参加を取り下げたため，文部科学省 web サイト上の採点の質を確保するための方策（スピーキング）による資料なし
受験料	15,000 円	15,000 円	約 25,000 円	10,450 円

D/A ＝試験形式が Digital か Analog かの判定，D = Digital, A = Analog

　デジタル方式である GTEC CBT・TEAP CBT・英検 CBT・TOEFL iBT・TOEIC S＆Wはアナログ試験であるケンブリッジ英検や IELTS よりも受験時間が長い傾向にあります。どの試験も録音された音声データを採点者が評価することになっていますが，採点者や採点方法が異なっているものがあります。GTEC CBT は採点者の資格を明確にしていない印象があります。学士以上という規定もありませんし，英語指導の経験も記載がありません。英検CBT は 1 名の採点者だけで通常は採点するようですが，ほかのデジタル式試験では複数の採点者で評価しているため，信頼性が高い採点となる可能性があります。TOEFL iBT は超デジタル式も取り入れており，自動採点システムを併用しています。AI が身近になってきた昨今は，パソコンで録音した音声を人が評価するのは本当の意味のデジタル式とは言えないの

かもしれません。ただ，大量の音声データと信頼のおける採点者による評価結果を各試験の主催者は蓄積していると思われるので，近い将来 AI を利用した Speaking 試験の自動採点システムが一般化するかもしれません。

　デジタル式の Speaking 試験には共通した問題があります。それは Speaking の CEFR で言う「表現」については評価ができていますが，「やりとり」について評価ができていない可能性があります。コンピュータ上で指示された内容について一方的に話す形式の試験なので，やりとりを行うことはできません。試験の採点基準を見ると，やりとりについての項目がある試験もありますが，発話を録音する形式では限界があります。AI 技術を利用することにより，やりとりも評価する試験の開発が望まれますが，デジタルで行うには限界があるかもしれません。

　アナログ式のケンブリッジ英検・実用英語検定（従来型）・IELTS・TEAP もそれぞれ特徴があります。実用英語検定（従来型）・IELTS・TEAP は面接官との 1 対 1 の面接試験ですが，ケンブリッジ英検は試験官が 2 名と受験生 2 名がいて，1 名は質問役と全体評価。もう 1 名は評価基準ごとに評価を行い，会話に加わりません。また，試験官とのやり取りだけでなく，受検者同士のやり取りも評価の対象となります。この方式の試験だと，Speaking の表現だけでなく，やりとりの能力も測ることができます。この方式はほかの英語試験にはない画期的な方法であると思われます。英語を実際に話す場面は，スピーチやプレゼンのような一方通行型の場面はほとんどなく，やりとりを中心としたインタラクションを伴うものです。プレゼンやスピーチをしたとしても，その後の質疑応答や会場の参加者とのやりとりなど，インタラクションを伴う場面がほとんどです。実用英語検定（従来型）・IELTS・TEAP は面接者とのやりとりが多少はあるのですが，試験内容を確認すると，疑似的なインタラクションが多く，デジタル化しても対応できる可能性が高いのですが，コンピュータに音声を録音することに比べればはるかに実際の英語使用場面に近いと判断できます。

　また，アナログ式でしか測れないものもあります。それは本当の意味のコミュニケーション能力です。最も有名な Canale and Swain (1980)[6] によるものでは，文法能力・談話能力・社会言語学能力・方略的能力の四つの要素がコミュニケーションには必要であると言われています。面接官と話すと

きに，笑顔で挨拶をしたり，困った顔をしたり，上を見ながら考えるというのも方略的能力の範疇に入りますし，面接官という目上の人に話すという状況が社会言語学能力になります。デジタルな試験ですと，これらの要素は反映されません。文法能力と談話能力は測ることができるかもしれませんが，それ以外の能力は疑似的にしか測ることができないのではないでしょうか。

5.　デジタル式試験にどのようにアナログ知を取り入れるか

　英語の資格試験，特に Speaking 試験を基にデジタル・AI 時代におけるアナログ知の有意性について考えてきました。大学入試に英語資格試験が利用されることが再度検討されると，効率や利益重視のために，アナログ式である，生身の人間の試験官による面接方式による試験がデジタル式に置き換わるかもしれません。しかし，アナログ式の優位性を考えると，Speaking 試験だけでもアナログ式を残すことを検討してほしいものです。

　私たちが英語を話す相手はコンピュータではなく，人です。それはデジタル・AI 時代がどれだけ進化したとしても変わらないのです。その能力を測るのは，目の前の人だけなのです。デジタル・AI 時代の流れの中心から「人」という存在がさりげなく捨象されてしまう風潮を生み出さないためにも，アナログ知の良さは良さとしてしっかりと，その価値を伝承していきたいものです。

注

1) BRITISH COUNCIL「CEFR（ヨーロッパ言語共通参照枠）」
   https://www.britishcouncil.jp/programmes/english-education/updates/4skills/about/cefr
2) 文部科学省「各資格・検定試験と CEFR との対照表」を加工して作成
   https://www.mext.go.jp/b_menu/houdou/30/03/__icsFiles/afieldfile/2019/01/15/1402610_1.pdf
3) 文部科学省「中学校学習指導要領解説　外国語編」
   http://www.mext.go.jp/component/a_menu/education/micro_detail/__icsFiles/afieldfi
   le/2011/01/05/1234912_010_1.pdf
4) 文部科学省「高等学校学習指導要領」
   http://www.mext.go.jp/a_menu/shotou/new-cs/youryou/kou/kou.pdf
5) 英語 4 技能試験情報サイトと文部科学省大学入試英語ポータルサイトを参考に筆者が作成
   http://4skills.jp/qualification/comparison.html
   http://www.mext.go.jp/a_menu/koutou/koudai/detail/1420229.htm
6) Canale, M. and M. Swain (1980). Theoretical Bases of Communicative Approaches to
   Second Language Teaching and Testing. *Applied Linguistics, 1*, pp.1-47.

電子メールによる非対面型韻律指導の意外な効果
―『ハムレット』の音読を自律改善した学習事例から―

梅宮　悠

1.　音読指導とバリエーション

　指導者の規範に沿って音読する学習スタイルは古くから存在し，今ではそのパターンも多様化しています。モデル音源と同時に発声するシャドーイングや，リスニングとスクリプトの目視を併用しながら音読するパラレル・リーディング，そしてリスニングから間を空けて音読するリピーティングなど，実践スタイルは幾通りも存在します[1]。これらの学習スタイルには，ジャズチャンツの手法に代表されるように[2]，複数の知覚プロセスを同時に刺激することで，学習者を楽しませる意図も込められています。

　様々な教授法が開発されている一方で，それらが実施されるべき教場では，入学試験などに音読が加味されない影響から，かなり消極的な姿勢が見受けられます。実践を試みる教員にあっても，その手法は自己流であるために恣意的になり，肝心の生徒たちは発音・強勢・休止など，本来音読に求められる要素を無視して，ただ機械的に取り組んでいる現状も指摘されています[3]。

　偏に「音読」と言っても，その構成要素は実に多様です。それゆえ，読みのどの点を伸ばすのかが明確でなければ，教育効果は低化してしまい，時間を割く価値がますます見出せなくなってしまいます。そこで新しい音読法を提唱するために，昨今のデジタル化の時流に乗りつつ，旧来のアナログな手法を再考してみるのも有効かと思われます。

2.　電子メールを積極活用した韻律指導

2.1.　シェイクスピア作品の有用性

　日本語と英語の発声の違いに関しては，母音の数と子音の発音法が指摘されます。確かに基本母音が五つの日本語に比べると，長・短・二重・三重と20以上もの音を駆使する英語に順応するのは難しいでしょう。子音にしても，RとLの区別や，thといった摩擦音は日本語にない音なので，学習者は困難を覚えるはずです。しかし，それ以上に英語対応への難点として挙げられるのは「音節」（syllable）です。英語がこれを最小の韻律単位としているのに対し，日本語は更に細かい「モーラ」（mora）と呼ばれる単位を基調にしています。[4]また，英語が強勢リズムであるのに対して，日本語は1文字1拍の言語とされます。[5]すなわち二つの言語間には相対する音の捉え方があることになり，このギャップを埋めなければ発音は矯正されません。更に細かく言うと，音節とリズムが守られていなければ，各音の発音は正確でも，フレーズ単位，センテンス単位になると不自然に聞こえてしまうのです。

　シェイクスピア戯曲の台詞の大部分は韻文で書かれています。韻文とは詩のルールを持った文章形態で，詩行には規範に沿った音の連続が見られます。「Arimasu, arimasen, are, wa, nan, deska」の迷訳が1874年にチャールズ・ワーグマンによって本邦初登場して以来，1909年に坪内逍遥が「世に在る，在らぬ，それが疑問じゃ」，1955年に福田恆存が「生か，死か，それが疑問だ」，1972年に小田島雄志が「このままでいいのか，いけないのか，それが問題だ」と訳すなど，数々の翻訳者が挑戦した『ハムレット』の有名な独白の第1行目にしても，注視すれば韻律のパターンが表面化してきます。

　to **Be**, or **NO**t to **Be**: that **Is** the q**Ues**tion.[6]
　弱　強　弱　強　弱　強　弱　強弱　強　弱

　上記の太字部分（大文字は特に）強く，普通字を弱く読むと，強勢と弱勢が交互に発声されるリズムの韻文となります。シェイクスピア作品の場合，行末の音と次の行末の音とが韻を踏まない無韻詩（blank verse），弱勢から強勢への展開を5回繰り返す弱強五歩格（iambic pentameter）を基本形としています。この規範を忠実に守って音読すれば，英語の発声モデルの一つ

である弱強アクセントを有する読みが可能になるのです。

　アクセントの矯正に韻文を用いるというだけならば，あえてシェイクスピア作品など使わずとも，より意味内容の簡明な童歌（nursery rhyme）の方が適しているかもしれません。しかし，教材をわざわざ難解なシェイクスピアの戯曲に求めたのには，それなりの理由があります。特に『ハムレット』は，CM や広告のキャッチコピーに使われたりすることもあって，世間に広く知られています。その認知度に反して，原文で触れたことのある読者は極めて少ないようにも思われます。そこで，「聞いたことはあるけど難しそう」というネガティブな印象を逆手に取って，「せっかくだからやってみよう」というポジティブな方向に参加学生を誘導し，指導を試みることにしました。

2.2.　挑戦的試みとしての実践紹介

　対象とした学生は東京に拠点を置く筆者から遠く離れた福岡に住む大学 3 年生 6 名とし，指導の期間は 3 週間としました。最初の 7 日間を第 1 フェイズ，次の 7 日間を第 2 フェイズ，最後の 7 日間を第 3 フェイズとして三つの指導ステージを設定し，参加者の自発的な取組みを求めました。

　まずはハムレットの第 4 独白（全 33 行）のみ抜粋したスクリプトを pdf ファイルに整え，電子メールで送付し，読めない単語がないようにする作業から始めました。イレギュラーな詩行の扱いに関しては後述するとして，第 1 フェイズでは単語が読めるということのみに集中してもらうことにしました。ここでは IC 辞書の音声機能の活用を推奨し，躓きに注意しての練習を促しました。期間を 7 日間と定めていたものの，1 回の練習時間や，その頻度は学習者に任せ，初回と最終回の音読状況をスマートフォンで録音した音声ファイル（iPhone 利用者は mp3，Android 利用者は m4a）の電子メールによる送付を求めることにしました。学習者の対応はまちまちで，即座に音声ファイルを送信してきた者がいたかと思えば，最終日にまとめて送ってきた者もいて，取組み方の差が成果の差にもつながっていたようです。前者にあっては読み間違いの指摘などが随時できたため，第 1 フェイズ終了時に早々と改善に向けた対応ができたのは言うまでもありません。指導回数が極端に少なかった学習者であっても，音声ファイルの送付ということで，録音

の完成までに複数回のテイクを実施しており，自らの読み間違いに敏感に反応する注意力を発揮したようです。その音読の成果は，初期段階であっても，ハムレットの台詞を数回だけ練習したとは思えないほどのものでした。

　第2フェイズに進む際にはシェイクスピア作品における韻文の基本ルールを記載した解説と，アクセント箇所を強調した編集スクリプトをWordファイルにまとめて電子メールで送付しました。学習者には新しいスクリプトの特徴とアクセントの関係を説き，リズムを意識する音読に移行するよう指示したところ，第2フェイズ初回録音の時点で前日の第1フェイズ最終録音とは見違えるほどの改善がありました。最初の7日間は回数を重ねるごとに単語の読み方について要領を得てきて，読むスピードが約1分も速まった例さえあります。他の学習者も平均して30秒程度のスピードアップが見られました。しかし，全体的に抑揚はなく，速く読める＝流暢という認識の中で練習していた印象です。それが第2フェイズでアクセントに意識を向けた結果，10秒から20秒スピードダウンしたものの，「英語」として聴きやすくなったのです。

　第2フェイズに入り随時音声ファイルの送付とそれに対して電子メールによるアドバイスを受けた学習者は，7日後にはもう改善箇所がほとんどないほどのレベルに到達しました。とはいえ，独白の第30行目の "sicklied o'er" といった古い近世英語的表現や縮約，第17行目の "disprized" と第20行目の "quietus" のように馴染みの薄い単語は，回数を経ても学習者は読み慣れないままでした。また，第28行目の "conscience" は 'kɒnʃəns' と発音されるべきところ 'kɒnsaɪəns' と既知の 'science' に影響された読みになり，第33行目の "lose" は難易度が低いにもかかわらず，'luːz' ではなく，アルファベット読みに近い 'loʊz' と発音するケースが多く見られました。馴染みの単語情報が混ざってしまう語の間違いは自分の発音からは気付かない傾向がうかがえ，IC辞書の音声機能による1単語のみの発音ではなく，詩行の中での音を実感することが必要と思われました。そこで，第1フェイズまでは他者の読みなどは参考にしないよう制限を設けていたのですが，第3フェイズでシェイクスピアの台詞の韻文に忠実に音読している音源ファイルを電子メール添付で提供し，[7] それを模範として練習の継続を求めました。

2.3.　指導後に見られた効果

　本指導の効果としては，日本語に存在しないアクセントに意識を向けることで，「英語らしい」響きの再現が可能になった点が挙げられます。それも3週間という短い期間にあって，学習者たちの練習回数は2，3日に1回1時間弱にすぎなかったので，実質10時間にも満たない訓練をもって，正しい抑揚の発声法でハムレットの台詞33行が読めるようになったと言えます。指導スタイルについても，電子メールを活用し，返送された音声ファイルの修正箇所を指摘するという簡便なものでした。指導回数こそ最大で8回に留まりましたが，フェイズごとの軌道修正により，大きな改善につながったようです。電子メールでの指導内容としては，単語の読み間違いの指摘，音読中に読み飛ばした単語の指摘，アクセント箇所を誤っている単語の指摘に限定しました。モデルとなる音声ファイルを送ることは第3フェイズ前では避け，自発的に手近の発音機能から聞き取るようにした点も企図したところです。

　第3フェイズを完了した3名に，追加としてシェイクスピアの別の戯曲から初見の台詞（2名に韻文，1名に散文）を用意し，改めての音読を試したところ，ここにも興味深い結果が表れました。こちらからのリクエストは，身につけた音読法をイメージしながら，数回の通読で読めない単語をなくし，即座に第2フェイズ終了時のような録音ファイルを電子メールで送付するというものでした。すると，先のアクセントを表示した編纂スクリプトを使わずとも，韻文に挑戦した学習者はこの時点でアクセントを際立たせた読みができたのです。その反面，散文を担当した学習者はどちらかというと平板な読みに戻った印象がありました。すなわち韻文に限って言うと，練習の成果が別の韻文にも及んでいる実際が確認できました。

　シェイクスピア作品の韻文を教材として扱う利点は他にも挙げられます。換言すると古い韻文ならではの気付きがあるのです。先に例示した独白の第1行目も，"that is" は，一般的に主語の "that" が強く読まれるはずです。ところが韻律に注目すると機能語の "is" の強勢が判明し，それによって強調の意味合いが出てきます。また第13行目には以下のような詩行があります。

must gIVe us pAUse: [＿] thERe's the rEspect
　弱　　強　弱　　強　[弱]　　強　　弱強弱

　独白の第 1 行目と同様に行末に弱勢が残っていますが，これを女性終止（feminine ending）と言い，次の詩行の始まりに連結する趣が醸し出されます。このようなところにも作者シェイクスピアからの読み方の指示が潜んでいるわけです。また第 3 脚目の弱勢はコロンの後のポーズとして隠れているので，句読点の扱いなどにも気を配ることになります。末尾の "respect" は，現代英語と異なる位置にアクセントが置かれていることが分かり，400 年以上の時の流れにおいて変化した発音の一端を垣間見ることができます。これらは学習者が理解しやすいように整えられた教材からは除外されるイレギュラーな特徴で，非常に刺激的なポイントと言えるのではないでしょうか。

　加えてシェイクスピア作品の韻文にある五つのアクセント箇所は，そのどこを強く読むかで意味合いに変化が生じてきます。2016 年のシェイクスピア没後 400 周年を記念して開かれたイギリスの王立シェイクスピア劇団（Royal Shakespeare Company）によるイベントでは，歴代の名優たちが件の第 1 行目の読み方の実例を披露しました。詩行の中でどこを最も強く読むべきかが議論の的となり，"or" を強める場合は二者択一の意味が，"that" は行の中間に当たるからと，それぞれのパターンを俳優たちが明示しました。こうした読み方の多様性を学習者に示すことで，規範の中の自由を伝え，同時にアクセントの効力などにも意識が向けられるようになるでしょう。

3.　非対面指導から見えてきたネット媒介の教え手と学び手の関係性
3.1.　ステップを踏んだメール指導で「人」という接面を意識

　ここまで指導の手順と効果について書きましたが，教え手と学び手の関係性を無視することはできません。学習者全員に一斉で指示や添付資料を電子メールで送るのは第 1 フェイズの始まり，第 2 フェイズの始まり，そして最終フェイズが終わった時の 3 回でした。ここでもあまり他人行儀な文面に

ならぬよう工夫しましたが, より有意義であったのは, 一斉メールとは異なって学習者と筆者の個別の次元で交わされた電子メールでした。

　学習者たちが音声ファイルを電子メールで送付し, そのタイミングが各々異なっていたということは前に述べたとおりです。頻繁に通信がある学習者には随時返信していたものの, 指導という性質上間違いの指摘など, ネガティブなコメントが並びます。そこで, 羅列や改行が自由にできる電子メールの特性を生かし, 前文で成果を賞讃し, 主文で問題点を箇条書きに, 末文では再び進捗状況への好意的な内容を盛り込むなど, 総じて見ればポジティブな印象のメール文面を心掛けました。また, 次第にメールの往復が日常化してくると, 指導内容から逸れた日々の出来事が学習者から語られることもあり, 時として個人レベルの会話に発展することもありました。こうして学習者たちは電子メールという接面不在のネットコミュニケーションを行いながらも, 決して無機質なやりとりではなく, ディスプレイの向こう側にいる指導者を身近に感じ取っていたように思われます。

3.2.　自己実現を意識した自律学習へのプロセス

　アメリカの心理学者のアブラハム・マズローの唱えた自己実現に関する理論は, 経済学や教育学の分野にしばしば援用される有名なものです。彼は人間の有する基本的な欲求を階層分けし, 低次のものほど優先順位が高く, それが満たされるなり, 更に高次の欲求へ移行していくとしました。それらは①生理的欲求, ②安全欲求, ③所属と愛の欲求, ④自尊欲求, ⑤自己実現欲求となります。[8]最低次の生理的欲求が生存に必須の飲食を対象としていることや, 第2の安全欲求が身体的危機に瀕していない環境と定めているので, これらをそのまま学科目教育へ導入するのは難しいでしょう。しかし, 欲求の階層を梯子の踏段のように捉えて一段一段押さえていくならば, 効果的な教授法につながっていくはずです。

　「生理的欲求」を満たすことが生命維持の不安からの解放だとすれば, 一般の学生が学習環境にいるという点で, 既にこの欲求段階は通過していると考えられます。それでは次の「安全欲求」についてはどうでしょうか。学びの場で安全が確保されていないということは, 身体的・精神的に不安な状況

を指し，それはすなわち集団の中で苦手な発音をやらされることなども含みます。これについて今回行った指導法は対面でなく，自律学習を推奨したことから，学習者は不安を感じることなく取り組めたと思われます。第 3 段階目の「所属と愛の欲求」にあっては，本指導法に関わる限定的な参加者という所属意識があり，指導に用いた電子メールの文面からもこの欲求を満たすニュアンスは多少とも伝わっていたはずです。次の段階に当たる「自尊欲求」は「承認欲求」とも言い換えられるもので，学習者と指導者の関係から言えば，フェイズごとの成果の認証ということになります。これもフェイズを発展させる過程で必ず行なっていたので，指導を進める上での障害にはなりませんでした。それどころか，第 2 フェイズあたりからは他者から認められたいがためにより優れた成果を発揮しようする学習者の意欲すら見えさえしました。最終段階の「自己実現欲求」は，3 週間の期間の終わりに近づき，いよいよ指導の終わりが見えた際に，今後も同様の試みを個別に続けたいという学習者からの意見に表れていました。特にシェイクスピアの残した難解な戯曲の一部を流暢に読めるようになり，今後は映画などで同じ台詞が響いてきたときにそれと気付くことや，初見の韻文でもスムーズに読めるようになったという実感が，さらなる学習のモチベーションにつながったようです。

4.　使い方一つで電子メールも意外な教育媒体

　一対複数の教室が，電子メールの活用により限りなく個別化指導環境へと変化する点は，先の実践紹介からお分りいただけたことでしょう。実践指導のためのプログラムをデザインした際には，ここまでの即効性は想定されていませんでした。しかし，自律学習を企図した電子メールによる限定的な学び空間と，成果を見据えた建設的な指導コメント及び形成評価が合わさり，強力に最終的な学習効果へと導かれたように思われます。昨今の SNS の浸透などを概観するに，デジタルネイティブ世代の学習者たちは，現実世界での対面形式よりも，今回紹介したヴァーチャルな学習空間での指導に心地よさを感じるのかもしれません。そうした意味では，通信ツールとしてだけではない，電子メールの意外な教育媒体としての利用価値が見出されました。

　電子メールによる韻律指導が今回奏効した背景には，テキストメッセージ以外に音声ファイルも交換できるデジタル技術の特質が上手く噛み合った点が挙げられます。しかし，目先の研究成果蓄積のみが急かされる傾向の現代にあって，古典（アナログ的な教育媒体）がことごとく駆逐される風潮には一抹の不安を覚えます。伝統的に今日まで連綿と伝承されてきた学び価値を，時代遅れと容易く捨象する社会現象が市民感覚として根付く前に，是非とも時流に合わせた教育手法及び学び手法へと工夫を凝らしながら，「古の知」への現代ならではの「気付き」を育んでみたいものです。

　筆者の指導実践は，必ずしも斬新ではないかもしれませんが，「シェイクスピア」と「電子メール」という極めて異質な組み合わせも，「時」「場所」「場合」「方法」の工夫検討次第で親和性を得るに至ったという点で，デジタル時代・AI時代の教育または学習へのヒントになれば幸いなところです。

注

1) 門田修平『シャドーイングと音読の科学』コスモピア株式会社，2007年，pp.11-38.
2) ジャズチャンツとは学習者が英単語やフレーズを音楽に乗せて反復するという音読の訓練方法の一つであり，1980年代から90年代にかけてEFL（English as a Foreign Language）の領域で盛んに利用されていた。
3) 鈴木寿一・門田修平『フォニックスからシャドーイングまで　英語音読指導ハンドブック』大修館書店，2012年，pp.12-30.
4) 窪薗晴夫『語形成と音韻構造』くろしお出版，1995年，pp.13-49.
5) 有働眞理子・谷明信『英語音声教育実践と音声学・音韻論：効果的で豊かな発音の学びを目指して』ジアース教育新社，2018年，pp.38-93.
6) スクリプトの表記方法は桑山智成氏の「シェイクスピア原語上演が英語学習に与える意義について」*Asphodel*. Vol.44，同志社女子大学英語英文学会，2009年，pp.21-39 http://www.lib.kobe-u.ac.jp/infolib/meta_pub/G0000003kernel_90001054 を参考にした。
7) 筆者は英語ネイティヴではないが，アクセント箇所と韻律のリズムを解析し，そのパターンに正確な音読サンプルを独自に作成した。
8) マーズロー，エイブラハム（著）・小口忠彦（訳）『人間性の心理学　モチベーションとパーソナリティ』産能大学出版部，1987年，pp.55-90.

第Ⅲ部

アナログ知の生活ポテンシャル

古くて新しいバイタルサインの活用
—発達するデジタルテクノロジーと共に生きるために—

酒井　太一

1.　デジタルデバイスの普及と身体データ

　「使ってみると，意外と楽しいよ」。数年前からスマートウォッチを使っている妻からそう勧められて，筆者がアナログの腕時計からスマートウォッチに切り替えたのはごく最近のことです。とはいうものの，スマートウォッチの表示盤のデザインは，アナログ時計の時と同じ三針式の表示を選びましたので，時計という機能においてはデジタルとアナログの違いを殊更強くは感じませんでした。しかしながら，筆者が意外と，いやそれ以上に興味深く感じたのは，スマートウォッチが知らせてくれる数々のデータです。特に身体や健康に関するデータでは身体活動量として，歩数そしてその距離，上った階数をはじめ，活動によって消費された熱量，運動に該当する時間，定期的に立った頻度などをつぶさに知ることができます。さらに，生理学的なデータとしては，スマートウォッチの裏面にあるセンサーによって脈拍数が常にモニターされており，その日内変動を知ることもできます。実際にこれらのデータは，筆者がこれまで知らなかったことを幾つか気付かせてくれました。例えば，身体活動量については，大学教員という職業柄，デスクワーク中心で身体活動量が低いことを常々不安視していました。しかし，実際にはキャンパス内を忙しなく動き回っていることで案外十分な量を得ていたことをデータから知り得ることができました。

　このように，自分の活動や身体の状態を客観的な数値データで示してくれるデジタルデバイスは，主観的な思い込みを払拭したり，これまで知り得なかった新しい情報をもたらしたりしてくれます。デジタルデバイスには，私たちの健康の保持増進へ大きな恩恵を与えてくれることが期待できそうです。

　ところで，近年のデジタルデバイスの普及は実に目覚ましいものがあります。デジタルデバイスの代表格であるスマートフォンは，ここ十年ほどでアッという間に世界中の人々の掌（てのひら）の中に収まるようになりました。総務省が発表している情報通信利用動向調査によれば，[1] 個人のスマートフォンの国内保有率は，2018年で64.7%にまで達しています。さらに，これを年齢別で見てみると，最も多いのは20〜29歳で93.8%，次いで30〜39歳で92.2%となっています。青年のほぼすべての人にスマートフォンが普及していることが分かります。

　一方，冒頭に紹介したスマートウォッチなどのウェアラブルデバイスも，その認知度の高まりとともに，次第に普及していくことが考えられます。総務省が行った調査では，[2] ウェアラブルデバイスを用いて運動量や身体に関するデータを本人にレポートするサービスの利用意向について報告されています。それによれば，日本では「利用したい」は41.0%となっており，その内訳は「無料であれば利用したい」が28.1%，「有料でも利用したい」が12.9%となっていました。ちなみにこの調査は日本以外の5か国（米国，英国，ドイツ，韓国，中国）も対象として行われました。これを見ると，「利用したい」で最も多かったのは中国で91.1%，次いで韓国で83.5%となっています。日本の近隣国においては，かなり旺盛な利用意向があることが分かります。なお，ウェアラブルデバイスを用いたサービスの認知度に関しては「知っている」が中国で93.7%，韓国で83.6%，そして日本で48.9%となっていました。このことから，ウェアラブルデバイスの認知度と利用意向には正の相関があると考えられます。したがって，日本において，今後ウェアラブルデバイスの認知度が高まると利用意向も更に高まることが予想されるようです。

2.　デジタルデバイスの進歩と健康への期待

　デジタルデバイスの普及のみならず，それ自体の機能も今後ますます進んでいくことが期待されています。現在，ウェアラブルデバイスの多くは，腕などの身体の部位に装着して利用するものがほとんどです。具体的には，時計型，眼鏡型が代表的なものだと言えるでしょう。特に，現時点においては

時計型が最も身近なものかもしれません。また，「スマートグラス」と呼ばれている眼鏡型については，数年前に世界的な某企業がその開発を中止したことが報じられて以降，近年ではあまり話題にはならなくなりました。ただし，頭部に装着するという特性上，両手の自由が完全に確保できるデジタルデバイスとして，各種産業部門において導入や活用が始まっているようです。したがって，これらが私たちの日常生活の場に躍り出てくる日は決して遠い将来ではないでしょう。さらに，これら時計型，眼鏡型とは全く異なる形状のウェアラブルデバイスも現在開発されています。例えば，「錠剤型」がその一つです。2017年に大塚製薬によって開発された「デジタルメディスン」は，既に米国FDA（アメリカ食品医薬品局）の承認を受けています。[3] この「錠剤」は，薬剤と共に極小センサーを含んでおり，パッチ型の検出器や出力先となるスマートフォンなどと組み合わせることで，患者さんの服薬状況を正確に確認できるというものです。これまで，重度の精神疾患などによって服用の自己管理が困難な人がいましたが，これを活用することによってこの問題が解決することになります。患者さん本人はもちろん，その世話をする家族や医療従事者などにとっても恩恵があることは言うまでもありません。

　ウェアラブルデバイス本体の工学的な進歩とともに，それらから得られる身体データを用いて新たな医学的な知見を得ようという取組みも始まっています。2019年にApple社は，スマートウォッチによって得られる身体データを活用してハーバード大学などの著名な研究機関と共同研究を行うことを発表しました。[4] この発表で，同社によって取り組むことが明らかにされたのは，「女性の健康」「心臓と身体活動」「聴覚」の三つの分野です。Apple社のスマートウォッチ・ユーザーの協力を得ることで大規模な研究が可能となり，身体データと健康の関連が科学的に明らかになることが期待されています。

　近年では，スマートフォンなどのデジタルデバイスは，利便性が高い一方で依存性も高く，心身の健康において不利益を与えかねないものとして注意が払われています。しかしながら，これからはウェアラブルデバイスの普及やその活用とともに，デジタルデバイスは「健康のための欠かせないモノ」として認識されてくるに違いありません。

3.　虚ろな健康
3.1.　健康と不安

　健康は，私たちの人生や日常生活にとって重要なものであることは言うまでもありませんが，現在の日本ではどれほどの人が自分の状態を「健康である」と思っているのでしょうか。厚生労働省は「健康意識に関する調査」[5]において，日本の成人男女で普段の健康状態が「非常に健康だと思う」が7.3％，「健康な方だと思う」が66.4％で，これらを合わせて「健康である」としたのは73.7％であったことを報告しています。7割以上もの人々が自分を健康であると思っている一方で，「非常に健康だと思う」とする人は案外少ないことが分かります。また，「健康である」とした割合を性別や年代別で比較してみると，女性の方が男性よりも若干高いものの，年代別では特に大きな違いはありませんでした。ちなみに，このような健康状態を判断する際に重視する事柄として，最も多かったのが「病気がないこと」で63.8％，次いで「美味しく飲食できること」が40.6％でした。

　それでは，自分の健康への不安についてはどうでしょうか。同調査によれば，自分の健康について不安が「ある」と回答したのは，61.1％でした。また，その理由として最も多かったのは「体力が衰えてきた」が49.6％，次いで「持病がある」が39.6％でした。さらに，自分の健康にとってリスクになることを尋ねると，最も多かったのは「生活習慣病を引き起こす生活習慣」が41.9％，次いで「加齢や遺伝」が17.3％でした。6割以上もの人々が健康に不安を抱え，健康を脅かす何かが傍らにあることを意識しながら過ごしていることがうかがえます。

　以上のことから，何となく健康ではあるけれど，何となく不安であるという，言わば「虚ろな健康」状態にある私たちの姿が浮かび上がってくるようです。

3.2.　デジタルデバイスは健康の「救世主」となり得るか

　このような「虚ろな健康」状態にある私たちにとって，デジタルデバイスは救世主となり得るのでしょうか。その答えは，YES であり，NO でもあると考えます。YES である理由は，デジタルデバイスによって客観的な身

体データをつぶさに知ることができることで，漠然とした健康への不安を払拭することができるからです。例えば，冒頭の筆者の例のように，運動不足であることが気掛かりだったとしても，継続的に測定された運動量からそれが否定されれば気持ちは一転して楽になります。

　一方，NO である理由は，ただ急激に増え続ける情報ではその活用が困難になるということです。この情報過多については多くの読者の皆さんも日常的に感じられていることなのではないでしょうか。例えば，インターネットを検索すれば確かに多くの情報を得ることができます。しかしながら，その中から自分が求めている情報，自分にとって有益な情報を見つけ出すことは難しくもなってしまいました。情報を収集してまとめるキュレーションの役割がより重宝されているのは，その表れの一つと言えるでしょう。デジタルデバイスで収集された膨大な身体データだけでは，私たちが生き生きとした健康の恩恵を得ることは困難であるばかりか，ともすればさらなる「虚ろな健康」状態の混沌へと誘われかねません。

3.3.　自ら感じることを怠らない

　それでは，私たちはデジタルデバイスとの関わりを日常生活でただ遠ざければよいのでしょうか。そのようなことは，高度化する現代情報社会においてはあまりにも後ろ向きです。むしろ，日々発達するテクノロジーをいかに効果的に役立てていくかの解釈に立つ方がより建設的であると考えます。

　そこで，筆者が重要だと考えているのは，「自ら感じることを怠らない」ことです。デジタルデバイスから身体データを通じて健康状態を「知らされる」ことと，自らそれを「感じる」ことは異なります。しかしながら，前者があまりにも豊富（あるいは過剰）で簡便であるがゆえに，私たちは後者を軽んじてしまいます。客観的な事柄は，ともすると主観的な事柄よりも信頼に足ると考えてしまいがちだからです。ただし，忘れてはならないのは，健康とは主観的な側面が少なくないということです。例えば，十分な睡眠とは，朝の目覚めの際に感じる心地よさの実感を伴うものであって，枕元のスマートフォンの睡眠アプリが示す睡眠の深さの数値だけではないはずです。

　私たちは，デジタルデバイスが与えてくれる身体データが急激に増加しつ

つある今だからこそ，自分の五感で身体のことを把握することを心掛け，もっとそれを信頼してみる必要がありそうです。次章では，そのための方法の一つとして，自分の手を使ってバイタルサイン（生命の徴候）を把握する方法を紹介します。

4.　バイタルサイン

4.1.　バイタルサインとは

　バイタルサイン（vital sign）とは，生体が生命を維持している徴候のことです。具体的には，体温，呼吸，血圧，そして脈拍などが挙げられます。バイタルサインの測定は，医療現場などにおいて患者の容態を把握するために日々行われています。しかしながら，これらバイタルサインを把握することは，医療従事者による検査や治療のためだけに行われる特別な行為ではないと考えます。幸いなことに血圧以外のバイタルサインは，器具を用いることなく，私たちの五感を用いることでも把握できます。そして，それらを少しだけ丁寧に感じることが，これまで気付かなかったことを私たちにもたらしてくれるのです。

4.2.　脈拍の触れ方

　バイタルサインの一つである脈拍は，橈骨動脈^{とうこつどうみゃく}で触れるのが一般的です。場所は，親指側の手首の前面（掌側）になります。触れる際には，指 1 本を押し当てるのではなく，人差し指・中指・薬指を揃えて軽く当てます。そうすると，トクントクンという響きが指先に伝わってくるのを感じることができます。なお，橈骨動脈に触れる 3 本の指は，手首を包むように触れたり（図 1 参照），手首前面に沿えるように触れたり，いずれもご自分の楽な方法でかまいません。ただし，自分自身の脈拍に触れる場合には，前者の方が指先の安定感があるので落ち着いて触れられるかもしれません。

図1：脈拍の触れ方

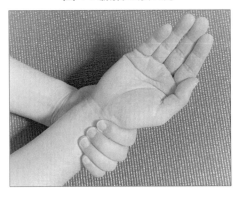

　実は，脈拍に触れられるのはこの橈骨動脈のみに限りません。心臓から押し出された血液は，身体の隅々まで力強く行き渡っていますので，様々な場所で触れることができます。具体的には頭の方から順に，こめかみ，首の付け根の前面，前腕の内側，ひじの前面，足の付け根の前面，膝の裏，足の甲などです。脈拍を感じる方法は基本的にはこのように指で触れてみることですが，感覚の優れた人であれば，じっとしているだけでいずれかの部位に拍動を感じることができたりもします。

4.3.　脈拍が与える気付き

　現代医学では，脈拍を1分間に何回拍動をしているかを「脈拍数」として把握します。正常な脈拍数は，年齢や個人差がありますが安静時の成人で1分間あたり約60〜100回[6]とされています。デジタルデバイスを用いた測定の場合は，スマートフォンではカメラのレンズに指先を当てて脈拍数を測定でき，スマートウォッチでは，本体の裏側についたセンサーで自動的に測定できます。デジタルデバイスを用いればこのように簡単に正確な脈拍数を把握できます。それでは，わざわざ指先でこれを把握することのメリットとは何でしょうか。それは，脈拍「数」だけに留まらない豊かな「気付き」をもたらしてくれる点です。ちなみに，古の人々はこの気付きを使って身体の様々な状態を把握しようと試み，それを体系化しています。現代でもそれは継承されており，伝統的な鍼灸治療や中国で行われている中医学などの東

洋医学の治療では、「脈診」として重視されています。

　具体的な脈診の方法は、左右の橈骨動脈に触れている6本の指先に感じる脈拍で行います（図2）。これは、六部定位脈診と呼ばれています。指先が触れる六つの拍動部は、六つの「臓腑」の状態を知ることができるとされています。

図2：脈診

　「五臓六腑」という言葉は一般的にもよく耳にしますが、五臓とは肝・心・脾・肺・腎、六腑とは胆・小腸・大腸・膀胱・三焦です。そして、この五臓六腑に心包という臓を加えて、六つの「臓腑」となります。東洋医学の臓腑は、現代医学における解剖学上の臓器という実体のある物というよりは、これに身体の中の働きや特徴を加えた概念です。したがって、脈拍は、現代医学では心臓などの状態を把握するためのものですが、東洋医学では身体全体の状態を把握するためのものとして捉えられています。さらに、脈そのものに幾つもの性状があり、それが体調全般を示しているとされています。最も基本的な性状は祖脈と呼ばれ、浮・沈、遅・数（早い）、虚・実の六つです。ただし、これはあくまでも基本で、古典的治療書では約20〜30種ほどに分類されています。現在の私たちが脈拍から数やリズムの正しさを把握しているのに比べて、古の人々はより細やかで豊かな情報を把握していたのです。

　実際の伝統的な鍼灸治療などにおいては、この脈診とその他の診察法を組み合わせることで「証」と呼ばれる診断を立てて治療の方針・方法を決定し

ます。もちろん，筆者はこの脈診を私たちすべてができるようになるべきだとは考えてはおりません。ただし，自分の脈拍だけならば，毎日触れることで得られる気付きによる恩恵は少なくないと考えます。例えば，今日はなんだか元気で身体が軽いなあというときに脈拍に触れてみます。すると，指先で感じる拍動は柔らかくちょうど良い強さでリズミカルです。これによって，自分が元気であることをはっきりと確認できます。逆に，なんだか元気がなくて疲れっぽいなあというときには，脈拍は深く沈んで弱々しいことでしょう。そんな時には，少し休みをとるなどの対応ができます。あるいは，ふと思い立ったときに脈拍に触れることで，今の自分の状態はなんだか良いなあとか悪いなあというふうにも知ることもできます。古の人々の知恵の一端ではありますが，現代に生きる私たちもこれを利用しない手はありません。

　そして，もう一つ，指で脈拍に触れることの最大の恩恵があります。それは，自分が生きているということを改めて実感できることです。以前，筆者は大学教員として高等学校に出前講義をしていました。この出前講義でよく行っていたのが，バイタルサインの測定です。高校生に脈拍測定の意義や方法などを簡単にレクチャーした後に，自分の脈拍や同級生の脈拍に触れさせます。すると，「わあっ，生きてる！」という声が教室中から嬉々として発せられ，大変盛り上がるのです。高校生のこのような素直な反応は大変示唆に富んでいるように思います。確かに，トクントクンと指に触れる拍動は，まさに生命の徴候（バイタルサイン，生きている印）そのものです。生きている実感を得る機会というのは日常生活で案外少なく，脈拍はこれを得る確かな一つの方法であると言えます。

5.　発達するデジタルテクノロジーと共に生きるために
5.1.　身体感覚への希求

　近年，ヨガやマインドフルネスなどに代表される，身体感覚を重視するメソッドが広く人々に受け入れられています。この背景には単なる流行に留まらない，身体感覚の必要性を人々が希求している潮流があると考えます。

　例えば，ヨガは2000年代初頭に著名人などが実践していることがマスコ

ミで報じられたことを皮切りに一大ブームが巻き起こりました。ただし，このブームはそのまま一時的なものとして終わることはありませんでした。現在では，専門的な教室やスポーツジムはもちろん，市民体育館や身近な公民館などで誰でも気軽にヨガに親しむことができます。このように多様な場所で多様なニーズに対応できるヨガには多くのスタイルがありますが，共通する要素とされるのは，「ポーズ」「瞑想」，そして「呼吸」です。バイタルサインの一つである呼吸は，それに意識を向けることで，集中力を高め，精神的・肉体的な安定を得ることできるとされています。ヨガは，約4500年前の北インドを発祥として世界中に広がったメソッドですが，古の人々がバイタルサインを感じることに注目し，これを活用しようとしたことは大変興味深いことです。そして，このような身体感覚を重視するメソッドが，遥かな時を超えて現代の私たちの暮らしの中に蘇っているのです。

5.2.　身体感覚の再起動

　ICT（情報通信技術）やAI（人工知能）などのデジタルテクノロジーは，私たちの生活の隅々にまでその恩恵を行き渡らせるべく，目覚ましい発達を続けています。もはやその発達のスピードは，何十年か先にはそれらがどのような姿になっているのか見通すことが困難なほどになりました。そして，私たちはそのような状況に一抹の畏れを感じ始めています。このような時代において生きていくためには，更に新たな何かを身に着けるよりも，既に私たちが備え持っている身体感覚を再び活用していくことが必要だと考えます。あえてデジタルデバイスに準えて言うならば，鈍りかけた身体感覚を「再起動」するのです。そのための一つの方法として，今日からバイタルサインを感じることを始めてみましょう。それは，その素朴な方法とは裏腹に，貴方にとって確かな助けになってくれるはずです。

注

1) 総務省「平成 30 年通信利用動向調査の結果（概要）」（PDF）.
http://www.soumu.go.jp/main_content/000622194.pdf
2) 総務省（委託先：みずほ情報総研株式会社）「IoT 時代における新たな ICT への各国ユーザーの意識の分析等に関する調査研究の請負　報告書」（PDF）.
http://www.soumu.go.jp/johotsusintokei/linkdata/h28_02_houkoku.pdf
3) 大塚製薬「世界初のデジタルメディスン『エビリファイ マイサイト（Abilify MyCite®）』米国承認」.
https://www.otsuka.co.jp/company/newsreleases/2017/20171114_1.html
4) Apple「Apple，健康に関する三つの革新的な研究分野を発表」.
https://www.apple.com/jp/newsroom/2019/09/apple-announces-three-groundbreaking-health-studies/
5) 厚生労働省「健康意識に関する調査」（PDF）.
https://www.mhlw.go.jp/file/04-Houdouhappyou-12601000-Seisakutoukatsukan-Sanjikanshitsu_Shakaihoshoutantou/001.pdf
6) 山内豊明『フィジカルアセスメント　ガイドブック―目と手と耳でここまでわかる』医学書院，2009 年.

デジタル技術の進展によるスポーツライフの変容
—アナログ知との両輪で紡ぐ"健幸"ライフ—

石井　十郎・関根　正敏

1. スポーツの多面的価値

　本稿では，多様な可能性を持つ「スポーツ」を題材として取り上げながら，「デジタル技術の進展」というテーマに引き寄せた議論をしていきたいと思います。手始めに，私たちとスポーツの関わりやその価値について考えていきましょう。日本の子供たちは，学校の体育や部活動の中で，教材として選定されたスポーツ種目に親しむ機会があり，体育の授業だけをみても，小学校から積算してみると，驚くほど多くの時間をスポーツに割いてきたことが分かります。成人になってからも，例えば，全国各地でマラソン大会が開催されたり，ランニングコースが設置されたりしているように，至る所でスポーツに親しむことができるようになってきています。また最近は，スポーツを「する」だけではなく，「みる」という視点も社会に浸透し，都市部だけでなく地方にもプロスポーツチームが誕生したりすることで，人々が身近な空間でスポーツを観戦するという場面も増えてきています。テレビや新聞，インターネットなどのメディアを介せば，スポーツ関連のニュースにすぐにもアクセスすることができ，スポーツの話題がない日はないと言ってもよいほどです。さらには，スポーツの試合や大会，クラブ等の運営を手伝うスポーツ・ボランティアとして関わる機会も増加してきています。間近に迫る「東京 2020 オリンピック・パラリンピック」では，12 万人がボランティアとして携わる計画が打ち出されるなど，スポーツを「支える」という関わり方についても注目度が高まってきています。

　このように私たちは様々な形で日常的にスポーツに関わっていますが，人々がスポーツという文化的な営みに関わることの価値とは，如何なるもの

なのでしょうか。我が国でスポーツ推進を統括する文部科学省やスポーツ庁は，数年ごとに「基本計画」，すなわち日本のスポーツの長期ビジョンを定めています。ここでは，2012年に策定された「スポーツ基本計画」を参考に，スポーツの価値について考えてみたいと思います。その計画では，スポーツを通じて目指す社会の姿を次のように説明しています。

① 青少年が健全に育ち，他者との協同や公正さと規律を重んじる社会
② 健康で活力に満ちた長寿社会
③ 地域の人々の主体的な協働により，深い絆で結ばれた一体感や活力がある地域社会
④ 国民が自国に誇りを持ち，経済的に発展し，活力ある社会
⑤ 平和と友好に貢献し，国際的に信頼され，尊敬される国

　スポーツ基本計画で示されたこうした社会像からは，スポーツの持つ価値への期待がうかがえます。スポーツは，生活に必要なものを生み出さない非生産的な遊びとみなされることも多いのですが，実は，かなり幅広い機能が期待されていることが分かります。つまり，青少年の健全育成，健康増進，地域の絆の形成，自国への誇り，国際交流など，スポーツには「多面的な価値」を実現する可能性があり，そしてその実現こそが国の政策として目指されているのです。

2.　豊かなスポーツ実践が導く"健幸ライフ"
2.1.　豊かなスポーツライフとは

　さてここで，筆者らが専門とするスポーツ経営学という学術領域において重要視され続けてきた「豊かなスポーツライフ」という考え方について解説しておきたいと思います。「豊かなスポーツライフ」とは，スポーツによる文化的な価値を十分に享受している生活のことで，スポーツをしたり，みたり，支えたりすることを通じて豊穣な便益が得られ，ひいては幸福な暮らしの実現につながっているということが，この考え方のポイントとなります。

スポーツは，体力の増進，適切な成長，疾病の予防や改善，美容・ダイエットという「身体的」な豊かさをもたらすとともに，ストレス解消やリラックス，生きがいや充実感などの「精神的」な豊かさをも個人にもたらすと考えられています。またそれだけではなく，スポーツを核としたコミュニケーションの活性化や社会の連帯感の醸成など，「社会的」な豊かさをも実現することが期待されています。こうした身体的，精神的，社会的な機能という考え方は，本稿の冒頭で紹介したスポーツの「多面的価値」と似た発想で，スポーツによって得られる便益を身体面での変化という視点だけでなく，より幅広く捉えようとするものです。すなわち，豊かなスポーツライフとは，スポーツの多面的な価値を存分に享受している生活のことだと言えるでしょう。

2.2. “健幸ライフ”とスポーツ実践

　さらには，こうしたスポーツの機能という考え方は，世界保健機関（WHO）が示した健康の定義とも重なります。WHO によれば，健康とは，「病気でないとか，弱っていないということではなく，肉体的にも，精神的にも，そして社会的にも，すべてが満たされた状態（日本 WHO 協会訳）」であるとし，体も，心も，人間関係も充実したコンディションのことを「健康」としています。「健康」というと，身体面のことを思い浮かべることが多いと思いますので本稿では，身体的，精神的，社会的というより広い要素が満たされた状況を“健幸”と表記し，身体的な観点のみから捉えた狭義の「健康」と峻別しておきたいと思います。「身体面，精神面，社会面が充実した健康で幸せな暮らし」（＝“健幸ライフ”）を実現する上で，スポーツ活動は重要な役割を果たすことが期待されています。スポーツを適切に行うことで豊かなスポーツライフを実現できれば，身体的にも，精神的にも，社会的にもしっかりとした価値を得ることができ，“健幸”につながると考えられるからです。

　では，豊かなスポーツライフを実現するためには，どのようにスポーツに関わればよいのでしょうか。スポーツ経営学では，豊かなスポーツライフを実現する可能性を高めるために，四つの条件を提示してきました。それは，スポーツライフの①継続性，②合理性，③組織性，④自律性という条件です。①の継続性は単発ではなく「続けること」の重要性を示し，②については，

理にかなった「適切で効率的な」活動であることを意味します。③は個人で行うよりは仲間と「一緒に」取り組むこと，④は受け身ではなく，自ら「進んで」スポーツの場面を自分で創り上げるような活動の大切さを提起したものです。以下では，こうした四つの条件を踏まえつつ，デジタル技術によって人々のスポーツライフが現在どのように変容しているのか，そうした変化の実態について把握しながら，その功罪について検討してみたいと思います。

3. デジタル技術の恩恵とその陰で失われつつあるもの
3.1. スポーツ領域におけるデジタル技術の進展

　私たちの身近なスポーツという活動にも，デジタル化の波が押し寄せてきています。その背景には，デジタル技術の活用が国策として位置付けられているという側面があります。政府が掲げる成長戦略「日本再興戦略2016」の中では「スポーツの成長産業化」というビジョンが掲げられ，2015年に5.5兆円であったスポーツの市場規模を，2025年までに15兆円へと拡大することが目指されています。そうしたスポーツの市場拡大を目論むプランの中で，デジタル技術はスポーツとの親和性が高いものとして大きな注目を集め，「スポーツ×デジタル技術」という視点からビッグデータやIoT，SNS，映像コンテンツ，VR／AR[1]といったデジタル技術の活用が推進されてきています。こうしたコンテキストもあり，一般市民のスポーツ活動においてもデジタル技術が活用されている場面を目にすることが多くなってきました。

　近年，顕著に発展したデジタル技術の一つは映像配信というサービスで，スポーツの領域でも，気軽に入手できる動画を活用する動きがみられます。YouTubeなどの映像コンテンツ配信サービスをみてみると，「○○レッスン」や「△△練習法」といったハウツー動画が数多くアップロードされ，若者に限らず，老若男女がそうしたスポーツのティップス（コツや小技）を，モバイル端末でどこでも，すぐに手に入れられる状況にあります。例えばレッスンビジネスの代表であるゴルフでは実際，YouTubeで「ゴルフ　練習法」と入力し検索してみると，数多くのレッスン動画を簡単に見つけることができます。その動画には，「飛距離アップ練習法」「ミート率が劇的に改善する

三つの方法」「アプローチの極意」といったようなゴルフのスキル習得に向けた練習方法を説明するものが多く，その中には「プロゴルファー●●氏流レッスン」「▲▲選手もやっている練習法」など，有名な選手や指導者の名前をも付したタイトルの動画も数多く見られます。そして「初心者練習法」「スコア 100 切り」といった表現を用いて，幅広い技能レベルに対応した動画がアップロードされているので，視聴者は自分のスキルに合わせた動画を閲覧することができるようになっています。中には 100 万回を超えるほどアクセスされている人気動画もあり，こうした動画をかなりのアマチュア・ゴルファーたちが参考にしていることが容易に推察できます。

3.2.　効率化するスポーツライフ

　従来，スポーツ技能に関する知識は，書籍や雑誌で入手できたものの，活字や写真などといった情報に限られていることが多かったため，身体の動きを実際に目で確認することは甚だ困難でした。スポーツは身体の動きを伴う活動であり，身体能力や技術の向上のためには，洗練された動きを連続するイメージとして視覚的に理解することが大切ですが，そうしたイメージを描くためには，スポーツ教室やレッスンを通じて指導者から教わったり，部活動やサークルなどで仲間とお互いにプレーを見せ合いながら学び合うという手法のアナログ知が有効だったのです。こうしたかつての状況は，映像配信というデジタル技術の躍進によって変化し，いつでも，どこでも，スポーツのハウツー情報が手に入るようになり，一人でも簡単に，自分が習得したいスキルの視覚的イメージを取得できるようになりました。このことは，効率的な技能の習得という観点からスポーツ活動の充実に大きく寄与する可能性があります。

　また，モバイル端末やウェアラブル端末を活用することによって，スポーツをする人の身体や運動状況の情報を数値として把握することも容易になってきています。身体活動の実態を客観的な数値データとして可視化するということは，これまでトップアスリート養成の現場では重視されてきましたが，コストがかかりすぎることが大きな障壁となり，それを一般市民のスポーツ活動で活用することはできませんでした。それが，スマートフォンやスマー

トウォッチなどの端末の普及によって，多くの人々の間に，数値データに基づく，効率的なスポーツ活動が広まるようになりました。スマートウォッチや活動量計という装置を手首に巻けば，例えば，心拍数や走行距離などのデータを測定することができ，そのデータを瞬時に画面に表示することができます。ダイエットや持久力の向上にはランニングなどの有酸素運動を適切に行うことが求められますが，心拍数は，運動している人にどの程度の負荷がかかっているかを理解する一つの分かりやすい指標です。心拍数が運動中にリアルタイムで分かれば，トレーニングメニューの立案やその成果評価にとても役立ちます。というのも，どの程度の負荷をかければよいのかは，個人個人の体調や体力，目的によって異なるので，個人個人のデータを参照しながら，それぞれに適したメニューを考える必要があるからです。また，スマートウォッチなどは，モバイル端末にデータを送信することができ，毎回の運動記録を時系列で簡単に保存することもできます。こうした自身の運動記録の「見える化」によって，成長や改善の度合いを把握することができ，それが運動を継続するモチベーションにつながるという考え方もあります。[2]

3.3.　効率化の陰で失われつつあるものとは

　映像サービスによる運動イメージの取得，ウェアラブル端末での運動情報の即時的把握と記録管理の合理化は，誰もが，気軽に活用できるほど，私たちの間に広まりつつあります。そして，こうしたデジタル化の恩恵として，競技水準の向上を目指した運動スキルの体得や，身体的健康の実現に向けた適切なエクササイズなど，スポーツ活動をかなり効率的に行える環境が整ってきました。ただし現在，デジタル技術という便利な要素だけでは，豊かなスポーツライフを実現させる上で不十分であるという指摘もみられるようになってきています。

　スポーツ領域で広まりつつあるデジタル技術は，特にスポーツスキルの効率的な習得や，「身体的」健康に向けた運動環境の合理化という面で，私たちのスポーツライフに大きな恩恵を与えてくれるものでした。その一方で，そうした技術が，誰もが，簡単に，一人でも活用できるものになりつつあり，このことによって，言わば「おひとりさま」のスポーツライフで「身体

的」健康を実現することも，以前に比べて容易になってきました。スマートフォン等を手にすれば自分でレッスン動画を簡単に見ることができ，自宅で一人である程度の効果が見込めるプログラムを実践できるようになったのです。そして，ウェアラブル端末を活用すればいとも容易く自身の身体状況やスポーツ活動の数値データが確認でき，こうした記録によって自身の変化（運動の成果）に対してしっかりと向き合うことができるようになったのです。このようなスポーツライフの変容は，数値化が困難な精神的側面については置き去りにされる傾向があるようにも思えますし，他人の手を介さずに一人でもスポーツに興じることができる点で，人間関係の形成をも視野に入れているスポーツの可能性が逆に形骸化していくことも危惧されます。

4.　デジタルのみならずアナログ知も大切にする現場
4.1.　アナログ知への原点回帰—フィットネスクラブの事例

　フィットネスクラブは，かつてトレーニングジムやスタジオに加えて，プールなどを完備し，メインの顧客層は若・中年の男性たちでした。注目すべきは，典型的なフィットネスクラブでは交流という要素にも重点が置かれ，「クラブ・イン・クラブ」と呼ばれるフィットネスクラブの中のサークル的活動で会員同士のつながりが保たれていたことです。こうしたフィットネス産業は，他のサービス産業と同様に顧客が求めているもの（ニーズやウォンツ）を実現し，満足してもらうことにより会員を維持してきました。もちろん，そうしたニーズやウォンツは多様で，年代や性別，個人によって異なり，一つではなく複数の目的を有することもあります。そのため各クラブは新たな顧客層を開拓するために，それぞれの目的を達成することができるフィットネスサービスの開発に乗り出しました。その結果，最近では，24時間セルフサービス型ジムやサーキット・トレーニング系スタジオ，ヨガやサイクル専門スタジオ型施設など，比較的小規模なフィットネスクラブをビルの一角や住宅街でも見かけるようになり，そうした多様化したフィットネスクラブに通う高齢者や女性の姿も随分と多くなりました。

　このような変化の中でも，デジタル技術の導入が積極的に進められ，デジ

タルデバイスを活用した会員の運動履歴管理や，身体機能やバランス，動きの質などから最適なトレーニングプランを提示するクラブをはじめ，VR 関連のマシンやバイクの導入，オンラインで運動や食事，睡眠までを日常的に管理するアプリ，リアルタイム配信するレッスンなども現れています。これらの技術は，短期間で成果を上げたい人や単純なトレーニングが苦手であった人，クラブが近くにない人などには，目的合理性の高いサービスであり，目的達成の効率性も高まると考えられるでしょう。しかしながら，体力増進・維持，肥満解消・ダイエット，美容などの「身体的」健康の実現を目指した機能特化が進む一方で，数値化が困難な「精神的」健康が置き去りにされ，交流などの「社会的」健康がクラブ内の片隅へ追いやられている状況にも見えます。[3] デジタル技術の活用方法によっては，他の会員と交流をもたない孤立化したスポーツ空間や，自分と指導者の関係のみで成立するおひとりさま空間がクラブ内の大半を占める状況にもなり得るでしょう。

　こうしたクラブの状況下で，ウェアラブルデバイス単独でのデータ管理は会員から飽きられていることも指摘され，アプリなどを活用しながら，インストラクターによる人的サービスを組み合わせることが改めて注目されつつあります。デジタル技術の導入によりフィットネスクラブ内の様子が変わりつつある一方で，かつてのクラブ・イン・クラブやイベントプログラム，各種スポーツ大会の開催や参加に取り組むクラブが再び増えるなど，つながり（「社会的」健康）を創り出すことが再び重要視され始めています。デジタル化が進むフィットネスクラブの原点回帰は，会員同士のつながり（組織性）を生み出そうとする手法，すなわちアナログ知の援用が，スポーツ活動の「継続性」を向上させて，身体的健康づくりにも寄与することを意味しているのに他なりません。今後，つながりという「社会的」健康も手に入れられるような"健幸"を創出できる取組みが重要となり，従来的なクラブ・イン・クラブやイベントプログラム，各種スポーツ大会の開催や参加などを更に活性化するためのデジタル技術の活用の在り方が大いに期待されるところです。

4.2.　デジタル技術で輝くアナログ知—学校体育の事例

　現代に再びアナログ知を輝かせるデジタル技術の活用方法とは，どのよう

なものでしょうか。その手掛かりを，日本の誰しもが関わってきた学校体育に求めてみましょう。今や体育の授業では，パソコンやタブレット端末を覗き込んだり，大きなスクリーンに素材を投影しながら授業が進行していくことも決して珍しい光景ではなくなりました。体育館やグラウンドなどで，自分たちの画像や動画を動作解析ソフトなどで確認したり，デジタルデータで上達度合いを把握することが行われたり，様々なデジタル技術を用いた取組みが行われています。その中でも，ここでは，生徒たちがつながり，対話によって「向き合う」ことを生み出した取組みについて紹介します。

　その取組みで中心となるのは，メディアポートフォリオの作成と活用方法です。このメディアポートフォリオとは，年間を通してタブレット端末を用いて，子供たちが発揮したパフォーマンスを動画で撮り溜め，授業中の子供たち同士，子供たちと教師間の「社会的な相互作用」に関する複数のデータを取り込み，視覚的・聴覚的に関わり合いの履歴を系統的に蓄積・保存した学びのファイルです。言わば，学校体育で必要な「共有・対話・つながり」を生み出すために，従来から行われていた学習カードの作成や保護者とのコミュニケーションというアナログ機能をデジタル技術によって最大化する取組みと言えます。

　このメディアポートフォリオを子供たち同士で利用することにより，簡単にかつ明瞭に過去の共有が可能になります。以前は，身体の動かし方やゲーム中の動きについて，「あの時のあの動きは，こうした方が良いんじゃない？」などと話し合っても，「あの時ってどの時？あの動きってどういう動きだったんだろう？」となってしまい，結局，子供たち同士の話合いが盛り上がらずに課題発見や工夫の創造までたどり着くことが難しくなっていました。そこに，メディアポートフォリオを作成し利用することによって，動きや場面の共有が可能になります。その結果，子供たち同士に深い対話や協力などが生み出され，活動の組織性が高まり，子供たちの自律性や主体性の伸張が促進され，そしてまた身体の動かし方やゲーム中の動きの合理性をも，自ら模索するという行動変容が起きています。

　当然ながら，子供たちと教師の間でも同様に新たな対話・つながりが創出され，保護者と子供あるいは保護者と教師でも，「学びのプロセス」や「学

校教育」の共有が時間や空間を超えて実現されることになります。このように，本事例はデジタル知とアナログ知の両輪によって，新たな対話・つながりが創出される取組みであると言えるでしょう。

4.3. "健幸ライフ"を目指して

　スポーツ分野におけるデジタル技術の進展とスポーツライフの変容について，二つの事例を通して考えてきました。フィットネスクラブの事例においては，運動・生理データの効率的な管理に加えて，会員同士のつながりやトレーナーやスタッフを介した対人的な社会的相互作用を再活性化させる等，アナログ的な動機付けの大切さも見直されてきています。また，学校体育のケースではデジタルポートフォリオを「共有」することにより，「対話」や「つながり」という社会的相互作用を生み出そうと，従来型の授業方法をデジタル技術で進歩させました。

　フィットネスクラブや学校体育でも，指導者側が「社会的」健康と「精神的」健康の実現に向けて取り組み始めている中で，"健幸ライフ"を享受するために私たち自身も進歩が求められるのかもしれません。身体的な目標を短期間で効率的に達成することだけに心を奪われずに，スポーツをする仲間と共に「社会的」健康を手に入れ，自身のスポーツ活動を合理的に継続させながら，「精神的」にも充実した"健幸"を目指すのが肝要ではないでしょうか。

注

1) 一般的に VR（Virtual Reality：仮想現実）は実在しない架空の世界をリアルに表現するテクノロジーであるのに対し，AR（Augmented Reality：拡張現実）は，現実世界にコンピュータ・グラフィックスなどで創り上げるデジタル情報を重ねる技術を意味します。

2) テレビや VHS，DVD などのツールを通じて，スポーツの動きを視覚的に理解するということは，かなり前から実施できたのも一つの事実です。ただし，近年の変化としては，自分が視聴したいと思う動画へのアクセス可能性が飛躍的に高まったということであり，このことは，入手に際する手間が低減したことを意味し，運動技術の習得という観点における効率性を高めていると考えられます。

3) リラックス効果や集中力などに関する数値化や向上させるためのサービスは試験的に導入されつつあります。アスリートのメンタルサポートに用いられるような諸技術の簡易化や低価格化など，一般人の精神的健康を促進させるデジタル技術や人的サービスの開発が期待されます。

参考文献

石井幸司「ICT がうみだす新しい絆」鈴木直樹・鈴木一成（編）『体育の「主体的・対話的で深い学び」を支える ICT の利活用』創文企画，2019 年，pp.30-39.

石井十郎「スポーツサービスとクオリティ・マネジメント」柳沢和雄・清水紀宏・中西純司（編著）『よくわかるスポーツマネジメント』ミネルヴァ書房，2017 年，pp.66-67.

株式会社 クラブビジネスジャパン『日本のクラブ業界のトレンド 2017 年度版』フィットネスビジネス編集部，2017 年.

関根正敏・天野和彦・石井十郎 他「豊かなクラブライフ によるアウトカムとは何か：総合型地域スポーツクラブにおけるアウトカム項目の検討プロセス」『体育・スポーツ経営学研究』第 31 巻，2017 年.

柳沢和雄・木村和彦・清水紀宏（編著）『体育・スポーツ経営学』大修館書店，2017 年.

デジタル時代にペンと紙は不要か
―電子端末で復活するアナログ志向のコミュニケーション―

笹本　浩

1.　絵文字・顔文字の時代

　「(／○￣)(T＿T)ふわ〜，眠い。昨日は2時間しか寝てないんだ」。しばらく前のこと，こんな一文で始まる業務メールをチームメンバーから受け取ったことがありました。この顔文字，実に表情豊かでよくできていると感心してしまいます。差出人の深夜に及ぶ仕事ぶりを労う気持ちとともに，その豊かな表現に感服する思いがしたものです。顔文字をビジネスメールで使うことはそう多くないだけに記憶に残っていたのでしょう。一方，昨今メールやSNSなど個人のソーシャルコミュニケーションに目を向けると，顔文字や絵文字，LINEスタンプなど実に様々な非言語要素が広く使われるようになっていることに気付かされます。世界標準にはなり得なかった日本の携帯端末，しかしそのケータイ文化が育んだ顔文字や絵文字は「Emoji」としてグローバル化し，更にはミー文字やアニ文字へと進化を遂げて，今やスマートフォンをベースとしたデジタルコミュニケーションになくてはならない存在となっています。この背景にあるのは何なのでしょう。デジタル技術の進化，デザイナーのスキル，あるいはデジタルネイティブ世代の感性でしょうか。そこには人間のより根源的なニーズが感じられてなりません。

2.　「デジタルの内なるアナログ」とは

　筆者は『デジタル時代のクオリティライフ』[1]の中で，「電子書籍iBooksは，まるで紙の書籍さながらの画面操作感を実現している。ページを繰れば裏面に次のページの活字がちらりと顔をのぞかせる。なぜそんな細部にまで拘る

必要があるのだろうか。それは電子書籍には連続思考を可能にするアナログ特性が必要だからである。画面が瞬時に変わるデジタル形式はそぐわないのである」といった主旨の論を展開しました。Web ブラウザのようなクリックやフリップ一つで瞬時に画面が遷移する非連続表現形式に対して，電子書籍はタブレットの画面上で紙の書籍を模した「ページを指でめくる」連続性のある操作感を実現しています。デジタル機器でアナログ感覚をユーザー（読み手）に提供しているのです。

　電子化によってパソコン（ディスプレイ，キーボード，マウス）に取って代わられた「文書作成」にも，昨今の「タブレットと電子ペン（以下，スタイラス）」の進化によって，同じように「ペンと紙」の時代のアナログ感覚が復活しつつあります。「デジタルの内なるアナログ性」とでも言えそうです（図 1 参照）。本稿ではこのテーマを再び取り上げ，明日の時代の新たなコミュニケーションの有り様を考えてみたいと思います。

図 1：デジタルの内なるアナログ性

3.　タッチパネルとスタイラスの進化

　2007年スマートフォンが登場して以降，タッチパネル・ディスプレイは身近なインターフェイスとして本格的に使われるようになりました。それまでは店舗のレジや銀行のATMなど業務用途が主流でしたが，今ではスマートフォンはもとよりタブレット，スマートウォッチ，ノートパソコンのディスプレイなどにも用途が拡がっています。またそれに伴ってスタイラスも普及し，タッチパネル画面を操作するポインティング・デバイス（マウスに相当する入力機器）や，文字入力のためのツール（キーボードに相当する入力機器）などの用途で広く使われるようになってきました。

　iPhoneを初めて披露したスティーブ・ジョブズ氏は，iPhoneでスタイラスを使うことを強く否定する発言をしていました。[2] そのため，後年（2015年）同社がスタイラス（Apple Pencil）を市場投入したとき「故ジョブズ氏の意向に反してまでなぜ」と問う向きも多々ありました。しかし，実際に氏の発言を前後の文脈を含めてよく聞いてみると，そこで同氏が否定しているのは「タッチ・スクリーンを操作するポインティング・デバイスとしてのスタイラス」であることが分かります。スタイラスではマルチタッチ操作（同時に2箇所以上のタッチポイントを認識させて様々なジェスチャー機能を可能にする入力方法）ができない点を強調することで，2本〜3本指を使った多様な画面操作を実現したiPhoneの優れた操作性をアピールする狙いがあったものと思います。逆に言えば，字を書いたり絵を描いたりするツールとしてのスタイラスを否定していたわけではないということです。大学在学中にカリグラフィ（書道）に魅せられたというジョブズ氏は，一種のアートとして文字を創ることにむしろ高い価値を認めていたことでしょう。同社のスタイラスは，ポインティング・デバイスとしての用途よりも筆記や描画を中心とした顕在・潜在ニーズを満たすことを主眼としているのだと思います。その価格帯からしても数百円で手に入るタッチペンとは（少なくとも現時点で見る限り），そのコンセプトを異にしていると言えるでしょう。

　ペンが紙なくして用をなさないのと同様に，スタイラスも「電子ペーパー」がなければ意味がありません。現在それに相当するのがタブレットですが，

今後はその対象もスマートフォンにまで広がってゆくと予想されます。それに伴って，スタイラスも「記録する」から「コミュニケーションする」へと活用シーンが変容・拡大してゆくことでしょう。本稿の執筆時点では，そうした動きはまだ限定的ですが，やがて「スマートフォンのスタイラス対応」「対応アプリの開発」「ユーザーへの普及」というプロセスで開花してゆくのではないでしょうか。ただ，そんなプロダクト・アウト的な市場創造の裏に，やはりユーザーである人間の「ウォンツ」があることも見落としてはならないでしょう。

4.　手書き文化の再来

　ワープロやパソコンの登場で，文字は「書くもの」から「打つ／選ぶもの」へと変容しました。これによりビジネスを中心とする様々な局面で文書作成の生産性が飛躍的に向上しました。ただ同時にそれは，個人のコミュニケーション領域において「表現の無機質化」をもたらし，ひいては人間関係まで希薄化させてしまいかねない側面を持つものであったようにも思います。とりわけソーシャル性を第一義とするSNSプラットフォームが急速に普及した現在，そうした「無機質な活字のみのコミュニケーション」は人間同士の対話にとって文化的親和性を欠くものであるように見えるのです。冒頭で述べたように，近年メールやSNSの普及とあいまって数多の顔文字や絵文字が使われるようになりました。さらには写真や動画を採り入れることも当たり前になってきました。これも没個性化する文字文化へのアンチテーゼとして自然な感情表現を希求する現代人が編み出した今日という時代の産物と言えるのではないでしょうか。「電子ペンと電子ペーパーの登場」には，単にマンマシン・インターフェイスの進化といったテクノロジーの文脈で語られる以上のものがあるでしょう。また「手書き文化」の再来にも，単なる懐古趣味やレトロ・ファッションのような一過性の現象以上のものがあるように思われます。そこには「顔文字や絵文字」「写真や動画」などと同様に，本質的には人間性への回帰，言い換えれば巷間叫ばれる「万事AI化」の対極をなす何物かが脈打っているように思えてならないのです。ロボットが手書

き文字まで代筆してくれる時代とはいえ，Artificial Intelligence（人工知能）」という言葉はあっても「Artificial Emotion（人工感性）」という言葉はありません。「Emotion（感性）」は，やはり「innate（人間生来）」のものに他ならないからです。

5.　デジタル時代の不易と流行

　このように私たち現代人は，デジタル革命の渦中にあっても「デジタル」と「アナログ」を適宜使い分けています。デジタルインフラは，特に私たちが「生産性」や「利便性」を追い求める際に非常に有益です。一方アナログインフラは，主に「創造性」や「共感力」を私たちに提供してくれるものです。

　ビジネスや日常生活で Web などのオンライン・デジタルメディアの有用性がますます高まっているのは言うまでもありません。ここで私たちが得ているのは，自分たちの行動の原点となる知識や情報です。しかし，そんな私たちも小説を読むときに手にするのは，本や電子書籍などオフラインでアナログ志向のメディアであることが普通です。ここで私たちが得るのは知識や情報ではなく，共感でありカタルシスであると言えるでしょう。

　文字を書き絵や図を描くツールとしてのスタイラスも，同じくこれら2通りの用途が考えられます。一つは，スタイラスでタブレットに書いた手書きの文字を活字に変換（記号や図形も変換可能）してデジタル文書化するような「記録」用途です。会議の手書きメモから議事録を起こすデジタルならではの効率的な使い方はよく知られています。もう一つが，手書きの文字や図／絵をそのまま活かす「コミュニケーション」用途です。これは，年賀状やグリーティングカード，ソーシャル・コミュニケーションメディアなどと親和性を持つ従来のアナログの延長に位置付けられるものです。スタイラスとタブレットの進化によって，ハードウェア面の基盤は整ってきました。今後はアプリの開発や各種 SNS の手書き対応などソフトウェア領域の拡充が待たれるところです。

　デジタル時代のコミュニケーションを支える入力方法も，ハード／ソフト・キーボードだけでなく音声入力や手書き入力へと選択肢が広がっています。

アナログからデジタル，更にはポストデジタルの時代には，読むのも書く／描くのもこれらを上手く使い分け，そして使いこなすリテラシーが求められることでしょう。また，手書き入力だけを取ってみても，先述したようにアナログ／デジタルそれぞれの特性を活かした使い方が可能です。「デジタルとアナログのハイブリッド活用」の意義がここにあります（図2参照）。まずはビジネス用途でこれまでにない「利便性」を，そして次にはパーソナル／ソーシャル用途でこれまで以上に「感性」を高めてゆきたいものです。アナログとデジタルは相反するものではありません。また前者から後者への進化であるとも言えません。両者は「デジタルの内なるアナログ」として共存しているのです。これは，デジタル機器を活用した手書きの世界に「不易と流行」があることを私たちに改めて教え諭してくれていると言えます。

図2：アナログとデジタルのハイブリッド活用

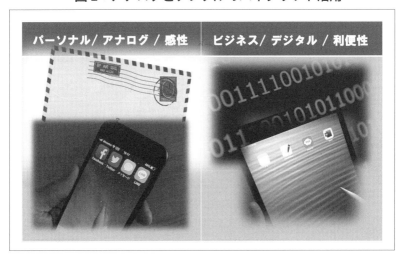

6.　ポストデジタル時代に向けて

「メディアはメッセージである」[3]。マーシャル・マクルーハンは，かつてメディアの特質をこのように説きました。情報を伝える媒体は，情報そのものと同じくらい（あるいはそれ以上に）意味を持っているという主張です。

この著書『メディア論』の副題には，50余年が経ってなお「メディアは依然として人間の延長である」といった褪せることのない含蓄があります。文字や絵もまた情報伝達媒体であれば，それは情報を発信する人間自身の延長であると言えるでしょう。万人共通の活字や図形の世界と違い，手書き文字は個々人の自己の投影であるからこそ，受け手にとっても同様の意味合いを持つものなのです。

　デジタル時代にあっても，かつてのペンと紙の特質がなくなることはありません。それを備える「スタイラスとタブレット」，更には「スタイラスとスマートフォン」があります。その意味をこの機に一度体感してみてはどうかと思います。ミレニアル世代のデジタルネイティブはもとより，筆者を含めたデジタルイミグラントも —— 行く先デジタルレフュジーにならないように……☺。

注

1) 笹本浩「モバイル時代に探るアナログとデジタルの交差点」淺間正通（編著）『デジタル時代のクオリティライフ』遊行社，2016年，pp.52–68.

2) "Who wants a stylus?（中略）Nobody wants a stylus. So, let's not use a stylus. We're gonna use the best pointing device in the world. We're gonna use the pointing device that we are all born with. Born with ten of them. Fingers ...（後略）"（2007年1月9日にサンフランシスコのモスコーンウエストで開催されたMacWorld Conference & Expoでの基調講演より一部抜粋）

3) マーシャル・マクルーハン（著）・栗原裕／河本仲聖（訳）『メディア論　人間の拡張の諸相』みすず書房，1987年.

第IV部

アナログ知の協調ポテンシャル

2025年の崖への跳躍力
―Society 5.0実現に向けていま私たちが取り組むべきこと―

前野　博

1. 先の見えないハイウェイに載せられて

　未来は先の見えないハイウェイ。『ターミネーター2』でのサラ・コナーの有名な台詞ですが，今にして思えば，あたかも人々の昨今の心情を代弁したかのような趣があります。

　SFのみならず現実世界も今や格差と矛盾に満ちており，国内においても人口減少や高齢者問題，生産力や国際競争力の低下，年金問題と老後の生活不安等々，多くの人々が不安を抱くのが今後の未来像ではないでしょうか。そのような状況から世界は既に大きな節目に差し掛かっていると考えるべきなのでしょう。悠々自適の老後どころか，昨今は職業自体の喪失を予見するような暗澹たる未来予測が耳目に触れることも少なくありません。

　その予測に至った最も大きな事由がAI技術の普及と進化です。この四十数年の半世紀に満たない間に，パソコンの登場からインターネット，そしてそのモバイル化へと発展し，更にIoT(Internet of Things)として，情報やサービスからアートまでがデジタル化されることによって，インターネットを通じてあらゆるモノ・コトが一つの世界に収斂してきました。また，一つ間違えると経済破綻へもつながるような危険性を内包しているシステムに依存していることに気付きながらも，代替する基盤もなく，突っ走ってきたのがミレニアムを境としたこの21世紀です。人間がじっくりと吟味し，判断する間もなく，人々は否が応でもデジタル化という一つのハイウェイに載せられ，未来に向かおうとしています。私たちは今，このハイウェイでどこに向かおうとしているのでしょうか。

　ここではそのことについて，主に2025年の崖，Society 5.0，AIという

三つのキーワードを基に考えていきたいと思います。

2.　2025 年の崖
2.1.　「2025 年の崖」が象徴する漠とした危機感

　仕事柄，経済産業省や文部科学省の課長，係長といった立場の方々のお話を聞く機会は少なくないのですが，ここ最近，彼らの話の中で頻繁に現れるキーワードがあります。それが「2025 年の崖」です。

　2025 年の崖とは，現在多くの企業で基幹的に用いられているシステムの賞味期限が切れ，全く新しいシステムに置き換えなくてはならなくなる事態が起こることによって，企業や人々がその新しいシステムに一から対応しなくてはならなくなる，という社会的危機を表した言葉です。2025 年 6 月に経済産業省が発表した「DX レポート」[1]によると，2025 年の崖に至るストーリーは以下のとおりです。

　まず，日本の ICT 投資の 8 割方はシステム維持目的であり，新規システムへの投資の割合は米国の半分以下です。したがって，古いシステムを使い続ける傾向にあります。一方で，多くの企業内システムは開発技術者にしか触れないようなブラックボックス化したものが多いのが現状です。そこで問題となるのが，将来待ち受けている，技術者の高齢化です。将来，レガシーシステムが蔓延するとともに彼らがリタイアしたとき，それらのシステムは誰が面倒を見るのでしょうか。誰も中身が分かりません。そうすると，現行システムは陳腐化し，更にはゴミ化していく。そうして，積極的に ICT 投資を続けてきた海外の企業に遅れを取り，一気に後進国の仲間入り……というものです。

　そこで国は，そのような事態に陥ることに対して危機感を抱き，国を挙げて対応し始めた，というわけです。したがって，日本は今社会全体のデジタル化や AI の推進に挙国一致で前のめりになっていることは誰の目にも明らかです。そして，2025 年の「崖」というイメージから危機意識を醸成させ，企業のみならず市井の人々に対してもそれへの対応を促しています。

2.2.　私たちはデジタルトランスフォーマーになれるのか

　ところで，この「DX レポート」の副題は〜 IT システム「2025 年の崖」の克服と DX の本格的な展開〜となっており，いかに 2025 年の崖に備えて DX していくかという内容を表しています。ちなみに「DX」とは「デジタルトランスフォーメーション」を表し，来るべき 2025 年の崖に備えて，新しいシステムや体制へとシフトしていくことを言います。

　トランスフォーメーションというと，これも映画の『トランスフォーマー』を連想してしまいますが，車から巨大ロボットに一瞬にして変身するように，私たちも来るべきその時，瞬時に変われるのでしょうか。少し冗談めかしてテレビの某番組風に言うならば，「やれ"会社の経理システムを SaaS に変えたらしいけど，またインフルエンザみたいな病気が流行ってるのかと思ったよ"だの，やれ"RPA が導入されたのにサービス残業が全然なくならなくて家庭サービスできないよね"だのと世間は騒がしいけれど，デジタルネイティブやデジタルイミグラントの狭間で右往左往するデジタルレフュジー（refugee：難民）のなんと多いことか……」といったところでしょうか。

　資金面や技術面など様々な事由から，DX には困難が予想されています。山積した問題を前にして，険しい崖を乗り越えていけるのだろうか…。多くの人々は漠然としていながらも「いずれ迫りくる危機」に対峙するような不安を抱いているのではないでしょうか。

3.　Society 5.0
3.1.　すべての危機を Society 5.0 が解決する？

　令和元年に日本で G20 サミットが開催され，その取りまとめとしての「大阪宣言」[2]の中で，Society 5.0 による SDGs への取組みということがうたわれていました。SDGs とは「Sustainable Development Goals（持続可能な開発目標）」の略で，国連が掲げた社会，経済，環境，教育など様々な深刻な問題を解決していくための目標であり，そのためのプログラムです。Society 5.0 の 5 とは，これまでの社会をその進化の段階から順に，①狩

猟社会，②農耕社会，③工業社会，④情報社会と定義した上で，その次世
代にあたる今後の社会を表したものです。

　つまり，Society 5.0 とは，サイバー空間とフィジカル空間（現実社会）
が高度に融合した「超スマート社会」という未来の姿や道のり（第 5 期科学
技術基本計画，内閣府)³⁾を示す包括的かつ象徴的な言葉です。それを本書的
に要約すると，「デジタルとアナログを高度に融合させて人間中心の理想的
な社会を創生すること」となるでしょうか。つまり，これからの社会を変革
していくには，デジタル一辺倒ではなく，アナログ的な思考や手法も融合的
に用いながら取り組んでいくことが必須であるということです。先の DX に
ついても，デジタル的視点からのみで解決できるものではありません。

3.2.　DX と Society 5.0 の中核

　そこで，ここではまず Society 5.0 の観点から DX を見ていくことにしま
しょう。

　Society 5.0 にある超スマート社会の実現を支えるサービス・プラット
フォームに係る技術項目として，政府はサイバーセキュリティ，IoT シス
テム構築，ビッグデータ解析，AI，デバイスなどを挙げています。AI 戦略
2019 の策定や初等教育におけるプログラミング教育の必修化，更には今後
の高等教育の AI 教育必修化なども併せ見ると，その核心の一つとして AI
が据えられていることが分かります。言わば，AI 時代の到来に向けた国家
戦略の様相です。AI 戦略 2019 の中で具体的には三つの目標が掲げられて
います。

① 文理を問わず，全高等教育機関での数理・データサイエンス・AI 履修
　コース設置
② 社会人全体への AI に関する実践的活用スキルが習得できる環境の用意
③ リベラルアーツ（教養教育）の充実化

　ここからも AI システム開発者の育成が最大の目標となっていることが理
解できます。先に述べた 2025 年で最も危惧されていることの一つが人材の

不足です。現在我が国の AI 技術者数は米国や中国の 10 分の 1 程度であるという状況に照らしてみても，それは理解できます。しかし，我々一般人の立場から見てみると，そもそも AI 技術者を目指す人が一体どれくらいいるのでしょうか。重要なのは「AI が作れる」ではなく，「AI 社会でも生き抜ける力」ではないでしょうか。

4.　AI
4.1.　AI 時代に求められる能力とは

　AI については様々な意見や考え方がありますが，現在のところ，機械学習を核とした現行の AI システムは真の意味での AI ではないと筆者は考えています。その第 1 の理由は，現行の AI システムのほとんどにおいて汎用性がないことが挙げられます。コンピュータも汎用性のあるアーキテクチャを有するようになる 20 世紀半ばまでは，まだ「コンピュータもどき」と呼ぶべき存在でした。第 2 の理由として，人工知能とも訳される AI ですが，現在の AI システムは物事の意味が理解できず，[4] 処理のルールを人間が決めないと何もできないので，知能があるとは言えません。また，活用するためには，初期のコンピュータがそうであったように，個別にプログラミングする必要があります。それこそ，カーツワイルの言うシンギュラリティの到来などいつになるか予想できる状態にはありません。

　しかし，現在の私たちはこれまでプログラミングなど習わずとも，アプリケーションを活用することで，コンピュータの利活用を行っています。もっとも，プログラミングが分かればアプリケーションに対する理解は深まるでしょうが，それは必須ではありません。今や実用的なアプリケーションの開発にはハードウェアやネットワークに関する周辺知識も必要ですし，業務に関連した様々な専門知識にも精通している必要があります。そのため，他に仕事を持って生活をしている普通の人にとってはハードルが高すぎます。そもそも業務で使用するようなシステムは複雑化しすぎていて，一人では開発できません。

　パソコンのプログラムについては，モジュール化を更に進めて，まるでブロックを組み合わせるようにプログラムを組み立てていける，いわゆるコン

ストラクション・キットのようなプログラミング環境があれば，誰でも簡単にプログラムが作れるようになるはずですが，実際にはそのようなシステムは普及していません。かつて 1984 年に登場した Apple Computer の Macintosh には HyperCard というソフトウェアが同梱され，それに近いことができるようになっていましたが，それほど普及はしませんでした。コンピュータ自体の普及も途上であり，使用目的も限定的であった当時にあって，まだ早かったのかもしれません。また，昨今の子供たちのプログラミング学習で広く用いられているプログラミング言語の Scratch 等は，それに近い特徴を備えていますが，あくまでもプログラミング的思考を理解させるという目的に特化しており，コンセプトがかなり異なっています。したがって，仕事に用いられるような本格的なプログラミングを開発するには，現在のところ，先述のように相当の専門的知識が必要となるのが現状です。

　AI においても同様です。AI を学ぶには相当な数学的知識や統計学的知識が必要であり，あらゆることを数理モデルに置き換えるための社会全般への理解も必要です。AI 教育やプログラミング教育と巷間喧しいですが，言うは易く行うは難しなのです。

　しかし，やりたいことをブロックのようにつなげていくだけで AI システムが出来上がるようなモジュール構造の「AI コンストラクション・キット」のようなものがあれば，誰でも簡単なシステムなら作れるようになるかもしれません。もっともそのようなシステムが実現したとしても，事物や現象の文脈を理解し，コンピュータが理解できる形に置き換えられるという基本的な能力が求められます。要は，システムを理解したり作れたりすることが重要なのではなく，最も必要とされるのは物事の意味を深く理解して役立てていけるような，言わば人間にとってより本質的な力なのです。

4.2.　AI 時代であるからこそ求められる教養力

　ここで，先に挙げた AI 戦略 2019 の目標の三つ目にあったリベラルアーツの充実化について考えてみます。これからの時代において AI に限らず新しいものを創造する上で専門領域以外の幅広い視点を持つことが重要という文脈からの目標設定かと考えられますが，ほかにも想定外の事態が起こった

ときにそれに対処するための幅広い知識や経験が求められることもあります。そのような時への備えとして，早稲田大学大学院教授の平野正雄は「リベラルアーツを学ぶことは，自らの価値体系を育むことで，様々な意思決定の規範を形成したり，世界の多様な文化を理解したりするために欠かせないこと」[5]と述べています。

　リベラルアーツとは教養教育と訳されることが多いですが，語源的には立派な市民となるための人格教育とも解され，いわば全人教育に近いものと捉えることができます。したがって，そこでは単に読書をたくさんする，といった単純なイメージではなく，幅広く人と関わりながら自ら学びの幅を広げたり深めたりすることが求められます。

4.3.　STEM 的学び

　2015 年から OECD（経済協力開発機構）では，Education 2030 プロジェクトを推進してきました。そこでは，これから予想される困難な時代における問題解決能力の育成を主眼に様々な提言が行われていますが，その中の具体的な教育施策に関わるキーワードとして「STEM」教育があります。これは要するに学科あるいは学問領域横断的な学びを表し，理科なら理科，社会なら社会という縦の学び方ではなく，例えば，産業革命を社会で学ぶときに，その中の蒸気機関について実際の物理モデルを用いて実験してみたり，その時の物理的力を数式で計算してみたり，あるいはそれによって思想的，社会学的にどのような変化が起こったかなど，広く関連付けて学ぶようなイメージです。これはリベラルアーツと同一軸にある考え方であり，点ではなく線や面で学んでいく考え方です。STEM は Science, Technology, Engineering, Mathematics の各頭文字を合わせたものですが，最近は更に Arts の A を付け加えて「STEAM 教育」と呼ぶようにもなっています。

　私たちは真に物事の意味を理解する場合，単に辞書を引いてその単語の字面の意味を理解するのみならず，その語に関連した様々な事象も理解しようとします。その点において Wikipedia などに象徴される HyperText のリンクによってある事柄から別の事柄へと様々につながっていく仕組みは，情報の真贋（しんがん）の確認が必須ではあるものの，ツールとしてはうってつけです。

4.4.　柔軟性のある論理的思考と関連づけの重要性

　昨今，論理的思考の重要性が繰り返し強調され，新学習指導要領でも重点化されてきました。また，新学習指導要領では論理的思考能力を育むことを目的の一つとしてプログラミング教育が組み入れられました。つまり，ここで言う論理的思考能力とは，プログラミング的思考能力を指していると思われますが，一般にプログラミング的思考を行うということはアルゴリズムが描けるということと等価であるとみなすことが多いのではないでしょうか。そこでのアルゴリズムとは，すなわち工程や条件分岐を含む判断などを演繹法的に線でつないでいくことです。そのため，プログラミング思考とは演繹法的思考のことを指すと考える傾向があります。しかし，論理的思考には大きく分けて演繹法の他にも帰納法があります。したがって，双方をケースバイケースで用いる柔軟性が求められます。

　例えば，日清の創業者，安藤百福がインスタントラーメンを発明した時の有名なエピソードを例に考えてみましょう。百福はラーメンを誰もが家庭で手軽に食べられるようにするためには，「長期保存が必須条件→そのためには生のラーメンを乾燥させねばならない→乾燥には熱が必要」，と演繹法的に考えます。そこで，乾燥させるための方法を条件分岐的に色々と設定して試していきました。以上の行動は事業家らしい演繹法的な行動パターンです。しかし，どの方法もうまくいきませんでした。こうして一度はアルゴリズムが破綻するのですが，ある日妻が天ぷらを揚げている風景から瞬間油熱乾燥法の着想を得たと言います。これについては，百福の故郷である台湾の揚げ麺が発想源という説もありますが，それはここでは関係ありません。重要なのは，このように総当たり的に試してみた中から正解を導き出す方法，つまり帰納法が功を奏したということ，そしてさらには，それが演繹法であれ帰納法であれ，その時に思いつくものの中に解がなかったが，思わぬものとの関連性から解決に結びついたということです。

　実はこの関連付けこそが問題解決のための重要な要素と考えられるのです。しかし，このような関連付けから得られる直感や閃きはいかにして得られるのでしょうか。

5.　2025年の崖を越える跳躍力

　まず閃きを得られるまでの知識を蓄積するには相当量の情報が必要です。しかし，現代の情報化社会の中にあって今後も増大し続ける情報を自分の記憶力だけで管理するには限度があります。そういう時こそ，デジタルとアナログのハイブリッドな工夫が必要です。例えば，Evernote（Evernote Corporation）のような取得した情報に自分でタグ付けしながらクラウドにアーカイブするシステムの利用がありますが，書籍などのアナログ媒体の場合は，書中のキーワードをタグとして記した付箋を付け，更にその情報をシステムにアーカイブ管理することで，ハイブリッド的に一元管理することが可能になります。また，その中のキーワードを元にインターネット上のサイバー空間の無数の事象へと関連付けることも可能になります。

　ところで，記憶には長期記憶と短期記憶がありますが，脳科学研究の分野で人間の脳には短期記憶を司るコンピュータで言うところのキャッシュメモリーのような「ワーキングメモリー」というものが海馬の中にあり，それが記憶したものを思い出すという段で重要となることが分かってきています。これを鍛えるための条件として脳科学者の茂木健一郎は，他者との出会いを挙げ，更に脳が変わるためには五感をフルに活用して感動することの重要性を述べています。[6]

　その上で，閃きを得るための条件として，ぼーっとしている時間が必要であることが最近の脳科学で分かってきています。例えば，アインシュタインがエレベーターに乗っているときに見えた壁の動きから相対性理論の着想を得たというエピソードなどはこのことを示唆しています。

　その他，生活上の具体的な工夫については他稿に譲りますが，以上のように考えてくると，2025年の崖を乗り越え，DXを生き抜いていくためには，私たち自身の知的イノベーションが必要であることに思い至ります。そしてそのためには，脳の性質や働きを理解しながら，効果的な学びを自ら不断に続けていくことが大切です。

　もちろん，学びを効果的なものとするためには学びが押し付けや義務であってはなりません。学びを効果的に行うにはあくまでも自発的であり，互

恵的であることが前提です。プレイフルラーニングの提唱者である上田信行が言うように，学びはまずプレイフルに（ワクワクしながら）行われることが重要なのです。「脳力」を高めるためにも。

注

1) デジタルトランスフォーメーションに向けた研究会『DX レポート〜 IT システム「2025 年の崖」の克服と DX の本格的な展開〜』（PDF）．
2) 外務省「G20 大阪首脳宣言」．
https://www.g20.org/jp/documents/final_g20_osaka_leaders_declaration.html
3) 内閣府「第 5 期科学技術基本計画」閣議決定（PDF）．
https://www8.cao.go.jp/cstp/kihonkeikaku/5honbun.pdf
4) 新井紀子『AI vs. 教科書が読めない子どもたち』東洋経済新報社，2018 年．
5) 平野正雄「リベラルアーツは，経営者の資質の鍛錬である」『RMS Message』36（PDF），株式会社リクルート マネージメント ソリューションズ，2014 年，p.7.
https://www.recruit-ms.co.jp/research/journal/pdf/j201408/m36_opinion_hirano.pdf
6) 茂木健一郎『脳が変わる生き方』株式会社 PHP 研究所，2013 年．

なぜロボティクス・プロセス・オートメーションはAIと異なるか
—アナログ的なコピペとクリックの継承価値—

岩本　勝幸

1.　賛否両論のロボティクス・プロセス・オートメーション

　ロボティクス・プロセス・オートメーション（以下，RPA）が，企業の間接部門の生産性向上に寄与するとして，2017年以降，大いに注目を集めています。いまだこの言葉に馴染みのない方に，あえて一言で説明するとしたら，RPAとは，「これまで人間がデスクワークとして行っていた業務をパソコン内のソフトウェア型ロボットに，AI（人工知能）のごとく業務代替もしくは自動化させる技術」と言うことができるでしょう。しかしながら，テクノロジーに明るいエンジニアやコンサルタントなどから見ると，コピペとクリックのGUI（グラフィカル・ユーザインターフェース）操作を人間の代理として作業するRPAは，ある意味，本道であるAIとは異なるテクノロジーにしか見えないようです。

　RPAの導入により，数千〜数万時間／月という大幅な労働時間の削減を実現する事例が現れているのもまた事実で，みずほ銀行，住友商事，サントリー，日本生命など名だたる企業がRPA導入で大きな効果を上げています。働き方改革を推進しなければならない経営者にとって，労働時間の削減を可能にする有効手段があるとすれば，それは喉から手が出るほど欲しいはずです。文句を言わずに，24時間せっせと働いてくれるロボットとは，経営者からしてみれば実に投資効果が高いものなのではないでしょうか。労務問題が企業の大きなリスクとして浮き上がる昨今，「人間を雇わないで済むなら，ロボットにお願いしたい！」というのは経営者の本音でしょう。RPAの美点はITリテラシーの高くないユーザーにとってもとっつきやすい点，教えられたこと以外は決してやらない点です。あくまでAIとは別路線で，コピ

ぺとクリックというシンプルな GUI 操作を引き続き洗練させていくべきでしょう。「できれば，目の前の手作業を高速でこなしてくれるロボットが欲しい」。これが人手不足で業務をこなしきれずにすっかり疲弊しきっている現場の声ではないでしょうか。そこから読み取れる悲壮感には，AI やロボットに仕事を奪われてしまうのではないかと言った危機感は微塵（みじん）もありません。

2.　RPA が必要とされる背景と労働環境の変化
2.1.　RPA が注目され始めた要因

　2004 年にピークとなった日本の人口は，2050 年に 9,515 万人（国民の約 39.6％が高齢者）になるものと推計されています。世界でも類を見ない超高齢化社会を控えている日本，総人口は減少の一途をたどり，労働力の中核を成す 15 歳以上 65 歳未満の生産年齢人口も減少傾向が続いています。日本経済に与える経済的インパクトをできる限り軽減するために，早期に生産年齢人口をカバーしなければならないことは明らかです。

図 1：日本の人口減少，高齢化の動向 [1]

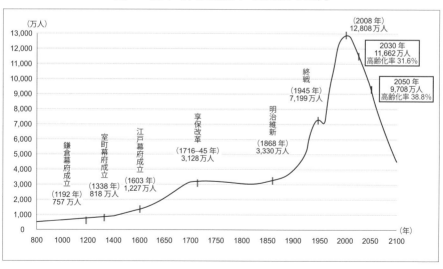

　これまで，未就業の状態にある人々の就業支援や外国人労働者の受入れだけでは到底追いつかない人手不足を，いかに速やかに補完するかが大きな議論の的となってきました。そのような文脈もあって，にわかに注目を集めるようになったのが「RPA」と言えます。

　既に工場のライン業務などでは，人間を補助する戦力として IT やロボットの導入が進んでいます。その適応範囲をホワイトカラー業務に拡大した RPA は，金融をはじめ商社，サービス，流通，小売，製造，自治体など広範囲な業務自動化・効率化に対応できる技術として大きな可能性を秘めています。矢野経済研究所によると，2022 年度の国内 RPA 市場規模（事業者売上高ベース）は，2018 年度には 2017 年度比 134.8 ％増の 418 億円，2022 年度には 2017 年度比で約 4.5 倍となる 802 億 7 千万円まで拡大すると予測しています。

図2：RPA 市場規模・予測 [2]

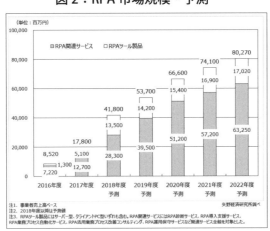

2.2.　RPA 開発の流れ

　RPA 開発の第一歩となったのが 1959 年の「機械学習」（ML：Machine Learning）の登場です。機械学習とは，コンピュータが大量のデータから反復的に学習し，そこに潜むパターンを自ら見つけ出すことを指します。機械学習の開発により，コンピュータは以前にも増して複雑な機能を備えるよう

になり，翻訳や要約など，言語に基づく高度な作業を実行するプログラムの作成も可能となりました。しかし，コンピュータが人間の言語を処理するには限界があり，それがやがて「自然言語処理」の開発につながります。自然言語処理の主な目的は，コンピュータが人間の言語をより正確に理解し，処理できるようにすることです。コンピュータは人間と同じように自然言語を理解しているわけではなく，人の言葉の「行間を読む」ことはできません。そのため，自然言語処理は単に形態素解析（言語で意味を持つ最小単位を判別すること）と構文解析を行うのではなく，意味解析や文脈解析といった，より高次元な判断を的確に行うことを目指すことになります。1990年代に突入すると，企業にとってコストを削減させ，かつ作業効率を向上させるRPAの二つの技術的進歩がありました。

　二つの進歩とは，①スクリーン・スクレーピング（screen scraping），②ワークフロー自動化ツール（workflow automation tools）です。スクリーンス・スクレーピングは，人間が読みやすい形で出力した大量のデータや文章をスキャンして，重要な用語や数値，分析結果を抽出する能力を指します。スクリーン・スクレーピングは，RPAの主要機能となります。ワークフローの自動化の起源は，1920年頃の工業化にまで遡りますが，頻繁に使用されるようになったのは1990年頃からになります。ワークフロー自動化ツールとは，例として，「顧客の連絡先情報，請求金額，受注品目などの特定の情報をピックアップし，それらを会社のデータベースに移行して，担当の作業者に通知する」という一連の受注処理を自動化することです。

　今日のRPAは，この二つの技術を応用したアナログ的なコピペとクリックによる業務の自動化となります。イメージ的には，パソコンの前に座っている作業者の操作を順番にビデオで撮影して，テレビで再生するようなイメージです。

2.3.　RPAの導入で変わる未来

　矢野経済研究所によると，旧来，「物体」を対象としたブルーカラー業務においてロボット活用と業務の自動化が進められてきたことに対し，RPAは「情報・データ」を対象とした，主にホワイトカラー業務におけるソフト

ウェアロボットである点が大きな違いであるとしています。[2]RPA の登場によって，「他に代替機能がないためにやむを得ず人間が行ってきた」とも言える単純作業に近い事務処理や書類関係の作業が比較的多い金融業界や，人事・採用に関わる部署など，旧態依然とした業務が多く残る業種・職種にも業務改善の可能性が生まれることになります。

　今後，RPA の普及による大衆化が進み，大企業から中小企業まで，誰もが RPA を“文房具”のように使いこなす時代が到来することでしょう。

3.　業務効率化における RPA の強みと AI との違い
3.1.　RPA の強みとは

RPA の強みとしては，以下の 3 点が挙げられます。
① 辞めない。
② 働き続ける。
③ 変化に強く，同じ間違いを繰り返さない。

　ロボットは自ら辞めることはないし，24 時間休みなく働き続けることも可能です。ソフトウェアと異なり，日ごとに変わる業務の変化にもルールを書き換えることで柔軟に対応でき，同じ間違いを繰り返すこともありません。

　ある程度のルールとフローで回せる業務であれば，RPA によって飛躍的な効率化を実感できるはずです。人の手による作業より遥かに正確で，見落としがないことも忘れてはいけません。RPA が得意とするのは，ある程度の手順が決まっている，いわゆる「定型作業」ですが，その柔軟性と適応力は高く，状況に応じてカスタマイズできるため，幅広い業務に導入できる可能性があります。「費用対効果が見合わず断念した」「そもそも自動化はできないと諦めていた」といったような業務内容などにも，改善と改革の可能性を与えてくれるのがデジタルレイバー（digital labor）としての RPA です。

3.2.　RPA は AI による業務効率化と何が異なるのか

　RPA と AI の違いは，一体何でしょうか。最大の相違点は，AI は人間がルールを教えなくても，自らルールを推論して定義できるという点です。しかし

ながら,そこで期待どおりの結果を出すまでには,多くの時間と費用がかかってしまいます。言い換えると,時間と費用をかけていない AI は使いものにならないということです。

　RPA は,人が決めたルールどおりにしか動きませんが,その範囲においては 100% 正しい結果を出してくれます。RPA は,賢くないですが働き者であり,ホワイトカラーの人員削減,業務の効率化,生産性向上に大きく寄与するでしょう。

　かたや AI は,機械が人間の活動のように感知・理解・行動することを可能にする技術です。そもそも業務の効率化という次元で扱うべきではないのですが,RPA に AI が組み込まれると人間から仕事を奪うということが本当に現実化しそうです。例えば,英国オックスフォード大学のマイケル・オズボーンとカール・ベネディクト・フレイは,米国において 10 ～ 20 年内に労働人口の 47% が機械に代替可能であると試算をしています。[3]

　また,日本における AI への取組みは第 5 世代コンピュータへの取組みに遡るのですが,公的資金がザブザブ投入されたのにもかかわらず,大失敗となりました。1970 年代,通産省が主導して作った「超 LSI 技術研究組合」が大成功を収め,日本の半導体産業は世界を席巻しました。次はコンピュータだということで ICOT(新世代コンピュータ技術開発機構)が作られたのが始まりです。

　当時は IBM のメインフレーム全盛期で,次は AI やスパコンだと言われていました。通産省は,国産の AI 開発を目指して「第 5 世代コンピュータ」と命名し,1972 年以降,日本の音声認識研究と推論機構研究をリードしていた渕一博氏が,1982 年,ICOT の研究所長に就任し,非ノイマン型[4]の第 5 世代コンピュータの開発を開始することになりました。10 年で 1,000 億円の国家予算がつき,国産メーカー各社から研究者・技術者のエース級が出向しました。目標は自然言語処理で,「日本語で命じると動くコンピュータ」を目的に,推論エンジンと知識ベースの構築が計画されました。当時,AI 用言語は Lisp か Prolog かの二択あり,Prolog の述語論理が日本語の構文規則を実装する上で有利だとされて,第 5 世代は OS から Prolog で書かれることになったのです。これは全世界の注目を浴び,米国でもマサチューセッ

ツ工科大学（MIT）が開発したコネクションマシン（スーパーコンピュータ）の商用化を目的に，マービン・ミンスキーやリチャード・P・ファインマンといった米国を代表する科学者が参加して，超並列型スーパーコンピュータの開発が本格化して行きます。一方で日本のICOTの第5世代コンピュータプロジェクトの方は，1984年には期待外れの印象が漂い出し，自然言語処理は途中で放棄され，目標は「ノイマン型の並列推論マシン」のハード開発に計画変更されました。単に並列化して処理速度を上げただけのハードにニーズはなく，三菱電機が商品化しましたが全く売れず，1992年のプロジェクト終了はニュースにもなりませんでした。この失敗が日本のAI開発の遅れにつながったのです。

3.3.　デジタルレイバー

　RPAは，ソフトウェアロボット，デジタルレイバーとも言われ，パソコンで人間が行なっている操作（コピペとクリック）をロボットが記憶し，人間に代わって自動で実行します。重要なのはRPAによって働く人の意識が変わるということです。この業務を自分がやるべきなのか，他の誰かがやるべきなのか，ロボットに任せるのか，はたまたシステム化すべきものなのか，業務のあるべき姿を追求することになります。RPAが全能なのではありません。デジタル化を自発的に考える中で，具体的に働き方が変わり，生産性が上がることが重要なのです。

　RPAを導入した企業にヒアリングをしてみたことがあるのですが，その企業の経営者は，少ない投資で大きな費用削減効果を得ることができたと喜んでいました。また，現場担当者に聞いてみると，二人掛かりで毎日残業していた業務がなくなったとも言います。一見，良いことずくめに思えたのですが，単純作業や残業もなくなって創造的な仕事ができるようになったと嬉しがる現場担当者Aさんの声の一方で，現場担当者Bさんは，逆に新しい仕事に就かされ，その仕事が難しくて大変だとぼやくなど，RPAの導入には少々複雑な事情も絡みそうです。

　企業の間接部門の事務は，業務の幅が広く，一つ一つの業務は専門性が高い作業内容ではありません。デジタルレイバーは，この事務作業の大幅な時

間削減を実現する一方，人間が行うべき仕事とは何かという問いには，答え
てくれてはいないようです。

4.　RPA による業務効率化と人間でないとできないこと
4.1.　RPA による売上げの最大化とコスト削減

　例えば，国内で仕入れた車を海外に輸出する事業を手掛ける中古車販売店
では，営業マンが海外の顧客からの注文に合わせてインターネットで情報を
集め，マッチングを図るという一連の作業を行っていました。この作業のルー
ルとフローを RPA に覚えさせて代行させることにより，わずか 2 か月で売
上げを 3 倍にまで伸ばすことに成功したそうです。

　ルール化できる作業を RPA が担うことで，RPA と人間がそれぞれの能力
に合わせて最適な棲み分けを行えば，最低限の人件費で売上げ拡大を実現で
きるという好事例が生まれるようです。RPA の導入は，人間と同レベルの
サービスと品質を人間以上の迅速性と正確性をもって実現し，有能な従業員
を安く雇用するのと同じことになるのです。

図 3：RPA が対象とする業務[5]

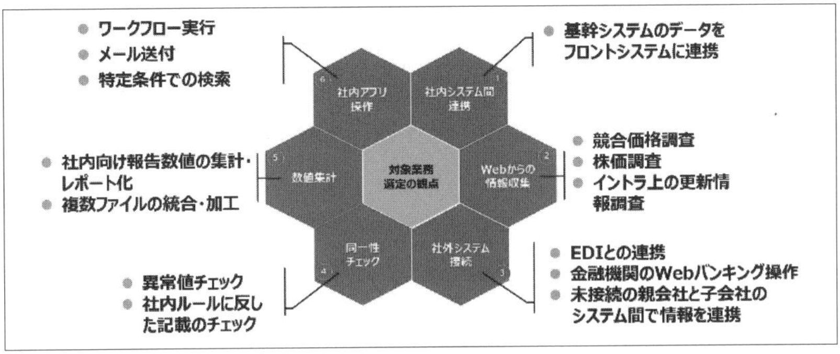

出典：アビームコンサルティング

　RPA は，次のような業務プロセスが固定化されている定型作業の自動化
に向いているようです。[6]

① 販売処理，経理処理などの事務処理

② 商品登録，在庫連携などのバック処理

③ 競合他社の動向，商品などの Web 調査

④ 社内複数システムにまたがる情報の集計・分析資料作成

結局，これまで論じてきた視点を総括してみると，RPA の恩恵は「売上げの最大化とコスト削減」となるのですが，利便性の恩恵にどっぷりと浸かり始めた現代人にとっては，仕事がロボットに奪われる危機感を感じ取れないかもしれません。

4.2.　人間でなければできないこと

RPA も AI も，あくまで人間を助けるために生み出されたものであって，敵ではありません。そもそも人間の動機付けといった目標に向かわせる行動の動因や誘因は AI にはありません。言い換えると，何をやるのか目標や課題を決める力は AI にはないということです。

数年前にある金融機関で数億円かけて融資審査の業務に AI を導入する取組みが行われました。結果として AI は時期尚早ということで，RPA の導入に変わってしまったのですが，融資審査はなぜ必要なのか，審査部門が融資判断を行う上で検討すべき要素は何なのか，融資 OK を出す判断基準は何なのか等の問いに対して，AI は答えを出すことはできませんでした。現時点での AI は決して万能ではないですが，今後の技術革新により人間の仕事を奪うようになるかもしれません。

5.　強化すべきはアナログ知

日本は，生産労働人口が減少局面にある中，労働力を維持しつつ国際競争力を強化するため，労働力の有効活用や生産性向上の施策が必要であることは明らかです。日本の国際競争力は世界経済フォーラムの「2017–2018 世界競争力レポート」によれば，ランキングは9位であり，前々年の6位，前年の8位から継続して順位を下げています。日本の課題とは，まさしく少ない

人手でもって，大いなる生産性を上げなければならない点に尽きるのです。

　言い換えると，業務のデジタル化を加速して生産性を上げる一方，人間が行うべき業務の生産性を上げなければならないということです。デジタル知はビジネスの価値を生み出すための基盤としては不可欠ですが，決定的な強みにはなり得ません。

　アナログ知は人に依存した知識です。イノベーションの創発，企業の人材育成，リーダーの育成，デザイン力すべてがアナログ知であり，このアナログ知を高めるための取組みを強化する必要があると考えます。アナログ知は，意味を読み取り，理解することであり，読解力の差で優劣が生じると考えられていますが，全国読解力調査によると，教科書の文章を正しく理解できない中高生が多く，なんと 3 人に 1 人が簡単な文章すら読めないとのことです。[7]

　読解力を文章，図，グラフからコンテンツ・コンテキストとして情報を読み取り，正しく理解し，意味を熟考できる力，自分の意見を論じることができる力と広義の定義をするのであれば，それはコンピュータが苦手な領域ということになります。コピペとクリックの一連操作は，単純作業に感じますが，背景にある作業の必要性や意味，効率的な手順，想定するアウトプットは，人間のアナログ知でデザインしたものです。AI 技術が飛躍的な向上を遂げている昨今，技術レベルの進化に目を奪われそうですが，豊かな社会生活，健全なビジネスを行うためには，人間の読解力，そして失敗をたどりながら経験発展してきたアナログ知の強化が求められているのではないでしょうか。

注

1) 増田寛也「『地域消滅時代』を見据えた今後の国土交通戦略のあり方について」(国土交通省)をもとに作成
   https://www.mlit.go.jp/pri/kouenkai/syousai/pdf/b-141105_2.pdf
2) 株式会社矢野経済研究所「2018年度のRPA市場は前年度比134.8%増の418億円と予測」
   https://www.yano.co.jp/press-release/show/press_id/2085
3) Carl Benedikt & Michael Osborne "The Future of Employment: How Susceptible are jobs to computerization?", 2013.
4) ノイマン型とは,ジョン・フォン・ノイマンらが1946年に提唱した方式で,現在のコンピュータの基本設計にあたり,処理するプログラムやデータをメインメモリーに格納して,CPUがメインメモリーから順番に実行するという特徴を持っている。非ノイマン型コンピュータの例としては,脳神経回路の仕組みを基にしたニューロコンピュータ,量子力学を情報処理に応用した量子コンピュータなどが挙げられる。
5) RPA BANK「ロボット化をリードする金融機関の現況―システム監査普及連絡協議会セミナーリポート」
   https://rpa-bank.com/report/9417/?read_more=1
6) 安倍慶喜・金弘潤一郎『RPAの威力』第1章1項［キンドル版］,検索元amazon.com,2017年.
7) 新井紀子『AI vs. 教科書が読めない子どもたち』東洋経済新聞社,2018年.

AI が導き出した答えとどう折り合うか
―人智との共存の模索―

鏡　裕行

1.　AI 時代の到来

　現代は，AI という言葉を聞かない日はなく，AI に関連した記事が毎日の新聞を賑わしています。かつてコンピュータが世に出現した際は，正確な解を瞬時に導き出すことの驚異に沸き，その後パーソナルコンピュータの出現により次第に一層身近なところにコンピュータが浸潤してくるようになりました。従来のアナログ的なものはコンピュータが関与したデジタル的なものに取って代わられ，取り巻く風景を一変させてきました。ビジネスにおける会計の場面では算盤，電卓は消失して表計算ソフトが席巻し，大学におけるレポート作成においては，レポート用紙にペンで記入することは極めて珍しくなりました。手書きの持つ温かみのメリットが大きいと言われた幼児教育での「おたより」においても，徐々にワープロソフトを使用したものが増え，手書きを維持している機関であっても，それを電子ファイル化して Web ページ上に掲載するなど，何らかの形でデジタル的な処理を全くしていないものを見つけることの方が困難である現代になってきています。

　しかし，このようなレベルにおけるデジタル化の範疇では，企業の会計部門における電卓の名手が，その力をもはや発揮できなくなってしまったなどの限定的かつ甚大なものでない脅威は散見されることはあっても，全体的に見れば人々の生活をより便利にすることに寄与しており，決して人々を脅かす存在ではなかったと言えます。

　一方，最近の AI の台頭についてはどうでしょうか。もしかすると産業革命に匹敵するような評価が後世になされるのかもしれませんが，少なくとも現代の人々にとっては，先のパソコンの日常生活への浸潤時とは比較になら

ないほどの脅威として，人々の間で受け止められているように思われます。この理由は何でしょうか。一つには，このAIというものが，人間の知能と非常に似ているからと言えないでしょうか。産業革命に出現した産業機械は，人間が行う肉体的な作業を代行しました。パソコンは，人間の知的作業のうち，記憶，演算，制御といった部分を代行しました。いずれも人間の作業をより高度に代行してくれたわけです。しかし少なくとも，この宇宙で最も知的な存在として君臨する人間の最も知的な活動とも言える，未知の事項を判断したり，創造したりするといった作業に関しては，これまで科学技術の産物によって代行されることなどはありませんでした。ところが，このような作業を代行することを可能ならしめたのがAIなのですから，そういった意味で，これが人々に得体の知れない脅威を与えることになったと言えるのではないでしょうか。

2.　AIがもたらし始めた新たな潮流
2.1.　現在のAIができることとその性質

　例えば，AIにおけるディープラーニングの方法で学習を重ねた将棋・囲碁ソフトがプロトップ棋士を倒し，もはや人間が将棋・囲碁ソフトに勝つなどというのは実に困難な話となりました。また，これまで読影医の専門的能力に委ねるしかなかった医用画像の読影においても，今やAIの方が勝るという現状です。そして，これらにおいて特筆すべきは，ディープラーニングにおける学習プロセスは人間によるプログラムによって与えられているにもかかわらず，創造と思えるような解をAIが導き出せるようになった点です。例えば将棋・囲碁ソフトにおいては，学習した棋譜に一度も現れていない手を突然AIが指す・打つことが間々あるのです。あたかも剣道や茶道における守破離の“離”をAI自らが実践しているかのようです。

　かつて数学における長年の難問であった四色問題が1976年にアッペルとハーケンにより証明された際にも，それまでの数学の伝統的な証明方法ではなく，コンピュータによる複雑なプログラムの実行に依拠し，コンピュータ自らがより良い配置を求めるための自発的なふるまいをしたと伝えられてい

ます。[1]そう考えてみると, それは現代の AI のふるまいの予兆だったのでしょうか。いずれにせよこのような AI の " 創造 " 的なふるまいは, かつて物理学の分野でホットな話題となった創発や複雑系などの言葉で語られる, 単純な時間発展方程式に内在する複雑な解のふるまいとは異質なものと言えるようです。では, なぜディープラーニングの方法がこのような創造を生み出すのでしょうか。

　残念ながら, この問いに対しては, 今のところまだ誰も答えることができません。ただはっきり言えることは, 創造を生み出すために, AI は, 莫大な数の学習を積み重ねているということです。これは, ビッグデータを扱うことが可能になった現代の情報処理技術の恩恵によっているのです。学習の数が少なければ, AI は上記のように人智を超えるパフォーマンスはできないのです。このことから, 少なくとも「ビッグデータによる莫大な数の学習」ということが, AI による創造を理解するための重要なキーワードになりそうです。

2.2.　AI が得意とする馴染みのある学習

　ところで, AI に限らず, この「莫大な数の学習の効果」というテーマにあっては, アナログ時代からずっと人類は馴染み親しんできました。すなわち, " 努力に勝る才能なし " と言われるように, 何事も上達するには努力を続けるしかなく, 学問や受験勉強においても " 王道なし " と言われ, 学修, 学習の重要性が説かれてきました。スポーツにおいても, " 血の滲むような " 努力をして優勝を勝ち取ったというような談話はよく聞きますし, 柔道における千本打込みなどは, まさに気の遠くなるような練習（学習）を繰り返すことで, 技の精度を高めていくことを目指していると言えます。すなわち, 現在のAI がディープラーニングの方法により正解の精度を高めつつあるという営みは, 決してデジタル・AI 時代に鳴り物入りで導入された新手法でも何でもなく, 人類がおそらく有史以来実行してきた上達のための学習の繰り返しと全く同様の営みにすぎないと言えるのです。実際, ディープラーニングは, つい最近まで AI 研究者の間ではあまり期待されていなかった技術であり, 最近になってその評価が大きく変わったのは, まさに前述したように, ビッグデータによる莫大な数の学習が可能になったこと, ただそれに尽きるのです。

2.3.　AIへの不慣れが脅威の根源

　このように考えますと，AIがディープラーニングの方法によって導き出した解に対して，本来我々はもっと身近に感じてよいはずですが，先述のように，人間の知能の部分と重なる部分が多いということも手伝って，身近というより脅威や不気味さといった負の感情の占める割合が高いように思われます。これはどうしたことでしょうか。これに対しては，一言で言えば，AIというものの存在に慣れていない，ということに集約されるのではないでしょうか。

　例えば今仮に，AIをAIさんという人間であったと仮定してみましょう。そうすると，AIさんは，用意されたプログラムに従って，膨大な数を学習することで，その分野について非常に高度な専門性を持つに至ります。そして，その分野については，他の誰よりも詳しく正確な知識を有することになります。そうなるとどうでしょうか。人々はそのAIさんをその分野の第一人者と認めることになるでしょう。もしもその分野で難解な問題に遭遇し，自分たちでは解決できない状況となったら，真っ先にAIさんに指導を仰ぐことでしょう。そうなのです。AIがAIさんになっただけで，すなわち，人間などの我々がこれまでこの世の中で認識している既存の存在にAIが置き換わっただけで，我々はいとも簡単にAIが導き出した解を信用するに至るわけです。AIが脅威であったり不気味であったりするのは，決してAIの営み自体に脅威や不気味さが伴っているためではなく，AIというものの存在に我々が慣れていない，つまりAIというものがこれまでの人類の歴史に存在していなかった（ように見える）ためと考えられそうです。

2.4.　AIのもつ創造性の分析

　また，AIをAIさんに置き換えて考えてみれば，AIの創造性も理解できるでしょう。先述の剣道や茶道における守破離の考え方を思い出してみれば，まず“守”においては，技の型などを稽古を重ねて徹底的に習得するわけですが，これはAIのディープラーニングでの莫大な数の学習を積み重ねる強化学習に対応します。一方，「型」はあくまでも基本であって，人は一人と

して体格や人格等が同じ人はいないことから，万人にただ一つの型が最も適合するとは限りません，いや，最も適合するはずがないのです。そこで次の段階として"破"が現れます。柔道で内股の技の型をしっかり習得した後は，自身の身長，体重，手足の長さ等を踏まえ，少しずつ型を自分に合ったオリジナルな型へと修正していくのです。やがて"破"の習得も完了すると，一部の実力者には"離"の段階が訪れます。柔道での内股の例で言えば，内股という技が持つ一連の流れ，物理学の言葉で語れば，内股という技の崩し，つくり，掛けという一連の体系を，力，モーメント，力点，重心，速度，角速度等の一連の流れとして無意識のうちに体得し，その一連の流れをする全く新しい技を「創造する」のが"離"と言えます。例えばある背負い投げの名選手は，"守"の段階で最初に習う背負い投げとは似ても似つかない崩し，つくり，掛けをする技を大試合で決めました。これは，一見，型で見る技と同一には見えませんが，よく見ると崩し，つくり，掛けの物理は型のものと同じであり，自身の体格等と相手の体格等から判断して"離"としての背負い投げをかけたとみることができるでしょう。なお，この名選手は，おそらくこの"離"としての背負い投げについては，無意識のうちに腑に落ちて理解していると思われますが，これを他人に教えて真似させることはおそらく不可能でしょう。名人の技は自分で盗めと言われますが，その技を見ながら自身で追体験して稽古を積み重ねて自らも同じ修行の道をたどることで習得する場合がほとんどだからです。

　物理学や数理モデルにより"離"としての技を記述し，万人にすぐに同じように理解させるという営みはまた別の営みと言えます。この営みの必要性，重要性については後述します。

　以上の考察から，AI さん，すなわち AI は，膨大な数の学習から，上記の守破離の一連の流れを体験していたと言えないでしょうか。例えば将棋ソフトにおいて過去に一度も指されたことのない初手が指され話題となりましたが，一棋士の対局数を遥かに超える膨大な数の学習に基づく圧倒的な"経験"から，棋士の発想を遥かに凌ぐ"離"の創造がなされたと言えるのではないでしょうか。

2.5. AIの最大の特長は間接的経験知

　この人間の経験を遥かに凌ぐAIの経験というのがポイントです。我々が将棋や囲碁の棋士をはじめ，様々な分野で"職人"と呼ばれる方々に敬意を表し信頼するのは，その方々が，その分野の探求に一般の人々を遥かに凌ぐ時間とエネルギーを費やし，圧倒的な"経験"に基づく造詣を有しているからです。そこには，その造詣を説明する理論や数理は必要ありません。中小企業のある特定の部品の製造・加工のみに特化した優れた技術者は，その製造・加工において他に右に出る者がいなかったとしても，その製造・加工技術を物理学を用いて説明できるとは限りません。一方，大学や大企業の研究所の研究者は，その製造・加工技術を物理学や数学を用いて理論的に説明できるかもしれませんが，上記の中小企業の技術者に優る部品の製造・加工はできないことも多いのです。すなわち，AIさんや優れた技術者等は，圧倒的な経験に基づく造詣を根拠に優れた解を供しますが，そこにその解を導出した理論を理解している必要は必ずしもないのです。そしてこの解の優劣は，"経験"の多寡に大きく依存していると言えるのです。例えば数学者の大仕事は若くしてなされることが非常に多いのに対し，人間国宝が若くして誕生することは皆無に近いことからも想像することができます。

　以上のように，このような解には「経験」の豊かさが大きく影響することが分かりますが，この「経験」の豊かさに関して言えば，AIのディープラーニングのそれは，"職人"と呼ばれる人間のそれとは比べ物にならないくらいの豊かさなのです。例えば将棋ソフトのディープラーニングでは，その気になれば例えば直近100年間のすべての棋士の全対局を学習することも可能なのです。これでは，人間の経験などは，たとえ職人のそれであっても，AIの足元にも及ばないのです。到底AIが導き出した解に人間の解が太刀打ちできるはずがないのです。

　それでは，このような確固たる経験に基づいて導出されたAIによる解を，我々はどう受け止めるべきなのでしょうか。例えば我々素人は，ある特定の分野に対して無知であるが優れた解を見出したいとき，半ば盲目的にその分野の専門家の指示を仰ぎます。先述のある特定の部品の加工を行いたいとき，

優れた技術を有すると評判で実績のある技術者に，そのプロフィールを信じることで加工を全面的に依頼したりするでしょう。そこには，その加工の確かさについての数学的な証明は必要ありません。すなわち，「経験知」への無条件の信頼と言えます。それでは，AI による解についてはどうでしょうか。これがもしも AI さんによる解であれば，ためらいなく「経験知」への無条件の信頼を選ぶでしょう。その違いは，人間が生み出した経験知か，AI が生み出した経験知かの違いです。この違いは，単に人間がまだ AI というものの存在に不慣れなことからくる感覚的なものと言え，本質的ではないと言えるでしょう。もしも生身の人間の経験でないものを同列で考えることにいささかの抵抗があるなら，この AI の莫大な数の経験による経験知のことを「間接的経験知」と呼んで経験知に準じるものと考えてしまえば，すんなりと AI という非常に優れた職人が生み出した解であると受け入れることができるのではないでしょうか。

3.　AI の解の信頼度とそれを超える科学への信頼

　ところで，ひとたびこのようにして AI による「間接的経験知」を受け入れたとして，これで AI の導出したあらゆる解を，我々は無条件で信頼して受け入れることができるでしょうか。おそらく，すべての場合において信頼して受け入れる自信はないことに気付くことでしょう。いささか極論となるかもしれませんが，例えば，もしも飛行の原理が物理学によって明らかになっていなかったとしたら，巨大な鉄の塊である飛行機に，たとえ数多くの飛行実験で墜落した事実がなかったとしても，気軽に乗る勇気を我々は持てるでしょうか。人並み外れて勇敢な人でなければ，搭乗には大きなためらいがあることでしょう。気軽に我々が飛行機に搭乗できるのは，物理学という学問によって飛行の原理が解明されているという，一段階上の信頼を我々が持っているためであるということに気付きます。

　科学，とりわけ物理学や，その理論の基礎となる数学のような数物系科学と呼ばれる学問で有効性が証明された技術は，ひときわ絶大な信頼性を有することになります。先述の数多くの経験に裏付けされた確固たる技術を持つ

技術者等は，十分人々の信頼を得ますが，その経験知に基づいた技術を万人が同等に保持できない，あるいは真似できないことから，どうしてもその技術者等以外は，その技術を「そういうものなのかな」と曖昧に理解することまでしかできません。それに対し，科学，特に物理学，数学等の言葉で記されるに至った技術は，その時点で万人が同等に理解できる可能性まで到達したことを意味します。これらの学問の素養を有しない人たちにとっても，少なくともそれらの一定の素養のある人には同等に理解されるものなのだろうという，言わば代理人による理解ともいうべき「間接的理解」には達していると考えてよいものと思われます。

　このように，「経験知」への無条件の信頼は一定程度の信頼性がありますが，より十分な信頼性は，その「経験知」を十分に説明し得る強靭な理論に有していると言えます。別の言い方をすれば，「経験知」は，それを物理学，数学等の言葉で理論的に十分に説明された時点で知の営みが完結すると言えるのではないでしょうか。すなわち，帰納的推論は，演繹的推論によって信頼性が格段に高まると言えるのです。

4.　人間固有の創造的活動
4.1.　人間の創造する理論の力

　「経験知」への無条件の信頼から「間接的理解」という一段階上の信頼に至る必要性を AI の話に適用すると，AI による解は「間接的経験知」によるもので一定程度の信頼性はあるものの，より信頼性を高めるためには，その「経験知」を数学等の言葉で理論的に説明することが必要だということになります。ところが，この「経験知」を数学等の言葉で理論的に説明するという営みは，考えてみますと，これまで科学者が行ってきた営みそのものです。例えば物理学においては，例えば従来町工場の技術者が経験的に知っていた現象について，数学という言葉を用いて理論家がその現象を一般的に論じる理論を構築します。その理論の詳しい解析により，その理論は未知の諸現象を予測します。すると実験家が予測された未知の諸現象の再現に取り組み，実現させます。このような営みの逆，すなわち実験家が未知の諸現象を発見

し，その諸現象を再現する理論に理論家が改良する，という場合もあります。このように理論と実験が車の両輪の役割を果たして相互に確認し合うことを通じて，次第に洗練された理論に仕上がっていくのです。

　このような，これまでなかった理論を構築していくには，無からの新しい創造という発想，矛盾のない理論の構築のための確固たる数学的思考力といった強靭な知性が必要となります。このような強靭な知性の涵養には，まさに「学問に王道なし」の格言があるように，王道はありません。日々試行錯誤しながら最も現象を正確に記述するものを見出そうとする生みの苦しみ，紙と鉛筆を用いて数式と格闘しながら数式に潜む真理を解き明かそうとする地道な数学的活動，このような不断の真摯な活動をもってしか，到達し得ないのです。そして，このような活動は，今のところ AI が取って代わることができないでいます。

4.2.　人間固有の創造的活動の力の涵養

　それではこのような人間固有の創造的活動は，先述のような不断の真摯な活動によって，誰でも容易に到達可能なのでしょうか。当然ながら全くそんなことはありません。現在我々が教科書から学ぶ多くの優れた理論は，気の遠くなるほど多数の先人たちが人間の誇りをかけて先述の不断の真摯な活動を展開してきた結果洗練されてきたものであり，一朝一夕に出来上がったものではありません。このような理論を更に洗練し，より良いものに改良していくためには，先述のような紙と鉛筆を用いて数式と格闘しながら数式に潜む真理を解き明かそうとする地道な数学的活動の繰り返しとともに，場合によっては数式に潜む未知の答えを炙り出すためにプログラムを創出し運用していく等の諸活動を併用していくことも必要になります。

　ところが現在では，複雑な積分の解析解も関連するソフトによって正確に導出され，大概の実施したい数値シミュレーションのためのソフトはネット等を利用して検索することで見つけられるようになったため，先述の人間固有の創造的活動のための訓練の機会は希薄になっているように思われます。これでは，いくら AI が「間接的経験知」によってたくさんの未知の帰納的推論を提供したとしても，数学等の言葉で理論的に十分に説明された演繹的

推論に達しないまま，十分な信頼性を持たない状態で世に散在するという悪循環に陥ってしまうことにつながる可能性もあります。これを放置すれば，大げさな言い方かもしれませんが，十分な信頼性を有しないものによって囲まれる世界の顕在化が現象化すると言えるでしょう。

5.　AIと人智との共存への提言

　すなわち，AI時代の課題を整理すると，莫大な数の経験に基づく「間接的経験知」による統計的解の人智を超える斬新性，正確性等はAIに任せて，そして一定程度信頼して最大限利用するとともに，そのような統計的解が見出されるに至った機構を数学等の言葉で理論的に導出することを怠らない，いや，知的な存在としての人類の誇りにかけてより一層追求していくことなのではないかと考えられます。換言すれば，AIが統計的に明らかにした相関性に，人智が因果性を与えていくと言ってもよいでしょうか。

　このような次代のAIと人智の相互の崇高な営みの実現のために，具体例として次の2点を提案してみたいと思います。

　まず一つは，これまで膨大な数のデータからプログラム等を駆使して有意な事実を発見しようと努めていた人間の営みを，思い切ってAIの営みとして可能な限りAIに譲渡することです。この引継ぎが上手くいけば，これまで以上に効率的かつ正確に，データの海の中から有意な事実を汲み上げることができるようになり，一定程度の信頼性をもって有効利用していけるようになるでしょう。そして，AIにより次々と明らかにされた未知の有意な事実について，人間が有史以来の人智を駆使してそれらの機構を数学等により理論的な言葉にしていくのです。

　このようなAIと人智の「分業」は，望遠鏡の進化による宇宙における未知の現象の発見とそれを説明する宇宙論という従来の観測と理論の分業と，構図は本質的に同じです。ただ従来と大きく異なる点は，「発見」の部分が人智を超えている点で，この分だけ，人智により理論的な言葉で機構を明らかにしていく営みは，従来より困難なものになると予想されます。しかしながら，このようなAIと人智の「分業」が的確に行われれば，人智を超えた

発見に対して人智がその理論を構築するという新しい研究プロセスの構造が生まれることにつながり，これが成功すれば人智による理論の創造が突然変異的に高まる可能性も秘めていると言えるでしょう。

　またこのような AI と人智の「分業」が速やかにかつ滑らかに行われれば，社会にとって益のみとなるでしょう。AI 時代の到来への不安等の払拭の意味も含め，このような考え方を我々が考察していくことは，大変重要になるのではないかと思います。

　もう一つの提案は，AI と「対話」しながら，すなわち例えば各発見に応じてプログラムに適宜修正を加え，大発見に至ってからその動力学を人智が一から考えるというのではなく，小発見ごとに発見に至った経緯を少しずつ明らかにしていくということで，大発見への動力学の解明に誤った道に迷い込まないような道標を付けていくということです。先でも少し触れたように，かつて数学における大難問であった四色問題が 1976 年にアッペルとハーケンによりコンピュータを駆使して解決された際も，プログラムの改良を細かく行い，コンピュータとの「きめの細かい『会話』で進められた」[1] と言います。これはある意味，それぞれが互いにない特徴的な知性を持ち，互いに互いを補いながら解を見つけていく活動，例えば研究活動における共同研究のようなものでしょうか。アッペルとハーケンの例でも，ハーケンは数学的なアイデアを提唱し，アッペルはプログラムを担当するという分業体制でした。最近では将棋の棋士が棋士仲間による研究会に参加しなくなり，将棋ソフトにより専ら研究する，いや将棋ソフトと共に専ら戦術研究するようになったというのも，実は研究仲間がより優秀な将棋ソフトになっただけと捉えれば頷けるのではないでしょうか。

　AI との共存は，脅威よりもむしろ大きな楽しみに思えてくるのは，私だけでしょうか。

注

1)　一松信『四色問題　どう解かれ何をもたらしたのか』講談社，2016 年.

編著者　プロフィール

【第 1 章執筆】
淺間　正通（あさま・まさみち）

静岡大学名誉教授・東洋大学教授。上越教育大学大学院修了。カリフォルニア州立大学チコ校国際研究センター客員研究員（1995–1996）。静岡市社会教育活性化推進委員（2004–2005）。日本学術振興会科学研究費委員会専門委員（第 2 段合議審査委員　2012）。監修に『実践　情報リテラシー』（同友館），編著書に座標軸 3 部作シリーズ『異文化理解の座標軸』『国際理解の座標軸』『人間理解の座標軸』（日本図書センター），日本図書館協会選定図書『情報社会のネオスタンダード』（創友社），日本図書館協会選定図書『デジタル時代のアナログ力』（学術出版会），『デジタル時代のクオリティライフ』（遊行社），『小学校英語マルチ Tips』（東洋館出版）。著書に『海外こころの旅物語』（早稲田出版），『世界を歩く君たちへ』（遊行社），『異文化の戸惑い』（英宝社），『自文化発信のアプローチ』（南雲堂）他。その他講演，論文，新聞連載記事多数。近年，情報科学技術と人との共生に関わる論稿を積極的に発信。代表記事として，特集記事＜デジタル時代が後押しする「アナログ再考」＞「問われるのはデジタルとアナログを鷹揚に協調させるコラボ力」（一般社団法人日本経営協会『OMNI-MANAGEMENT』2016 年 6 月号）などがある。現在，科学研究費基盤研究（B）代表者として「小学校英語教科化黎明期に顕現する学力差の緩衝を企図したミクシ型ウェブ教材の開発」（2020–2022）に従事。

執筆者　プロフィール

【第2章執筆】

山下　巖（やました・いわお）

東京外国語大学外国語学部卒業。英国バーミンガム大学大学院修士課程修了。MA in TESL/TEFL。静岡県の公立高等学校教諭，中京女子大学人文学部准教授を経て，現在，順天堂大学保健看護学部教授。専門はアメリカ文学，英語教育学。

【第3章執筆】

小川　あい（おがわ・あい）

早稲田大学文化構想学部卒業。ユニバーシティ・カレッジ・ロンドン（UCL）大学院，脳科学部心理学・言語科学科修士課程修了。現在，東洋大学ラーニングサポートセンター（LSC）アドバイザー。

【第4章執筆】

木内　明（きうち・あきら）

早稲田大学大学院人間科学研究科博士課程単位取得退学。教育学修士。現在，東洋大学ライフデザイン学部准教授。専門は文化人類学。著書『基礎から学ぶ韓国語』（国書刊行会），『韓国語文法トレーニング』（高橋書店），『聞けて話せるハングル』（NHK出版）等。

【第5章執筆】

林　順子（はやし・じゅんこ）

広島大学大学院教育学研究科教科教育学（英語）専攻修了。教育学修士。広島県及び愛知県の公立高等学校に勤務。現在，東洋大学非常勤講師。

【第6章執筆】

佐川　眞太郎（さがわ・しんたろう）

早稲田大学人間科学部人間健康科学科卒業。大正大学大学院人間学研究科臨床心理学専攻修了。公立教育相談機関教育相談員，公立中学校・高校スクールカウンセラー等を経て，現在，東洋大学朝霞キャンパス学生相談室学生相談員。臨床心理士，公認心理師。

【第7章執筆】

志村　昭暢（しむら・あきのぶ）

北海道教育大学大学院教育学研究科教科教育専攻英語教育専修修了。教育学修士。旭川実業高等学校教諭を経て，北海道教育大学札幌校・北海道教育大学大学院教育学研究科教授。専門は英語教育学（授業分析・言語教師認知研究，教科書分析，早期英語教育等）。

【第8章執筆】

梅宮　悠（うめみや・ゆう）

英国バーミンガム大学シェイクスピア・インスティテュート修士課程修了。早稲田大学大学院文学研究科博士課程単位取得退学。同大学文化構想学部助手，助教を経て，現在は同大学各学部及び東洋大学非常勤講師。専門は英国ルネサンス演劇関連。

【第9章執筆】

酒井　太一（さかい・たいち）

琉球大学医学部保健学科卒業。東北大学大学院医学系研究科博士課程修了。博士（医学），保健師，鍼灸師。仙台市役所の勤務を経て，現在は順天堂大学保健看護学部先任准教授。専門は公衆衛生看護学。

【第10章執筆】

石井　十郎（いしい・じゅうろう）

筑波大学大学院体育研究科修士課程修了。早稲田大学スポーツ科学研究科博士後期課程満期退学。現在は，東海大学経営学部講師。専門はスポーツ経営学。共著書に『よくわかるスポーツマネジメント』（ミネルヴァ書房）等。

関根　正敏（せきね・まさとし）

筑波大学大学院体育研究科修士課程修了。作新学院大学経営学部准教授を経て，現在は中央大学商学部准教授。スポーツ経営学を専門に，「スポーツによる地域活性化」の実像に迫る研究を推進。共著書に『スポーツまちづくりの教科書』（青弓社）等がある。

【第11章執筆】

笹本　浩（ささもと・ひろし）

上智大学文学部英文学科卒業。日本企業の海外営業部門に勤務，その後米外資系IT企業のマーケティング部門に勤務，現在に至る。

【第 12 章執筆】

前野　博（まえの・ひろし）

神戸大学大学院修了。現在, 至学館大学健康科学部准教授。情報処理センター長。専門は教育情報学。著書『音楽 Mac のつくり方』,『電子メールのトラブルシューティング』（毎日コミュニケーションズ）など, 編著書『実践 情報リテラシー』（同友館）などがある。

【第 13 章執筆】

岩本　勝幸（いわもと・かつゆき）

東京学芸大学教育学部卒業, 北陸先端科学技術大学院大学・知識科学研究科（MOT）修士課程修了。北陸先端科学技術大学院大学・知識科学研究科博士課程中退。現在, 東海大学経営学部経営学科准教授。専門はサービスマネジメント, 知識マネジメント。

【第 14 章執筆】

鏡　裕行（かがみ・ひろゆき）

東京大学理学部天文学科卒業。京都大学大学院理学研究科物理学・宇宙物理学専攻博士後期課程研究指導認定の上退学。博士（工学）。現在, 徳山大学福祉情報学部教授。専門は非線形・非平衡系の物理学。共著書に『薄膜塗布技術と乾燥トラブル対策』（技術情報協会）等。

デジタル・AI時代の暮らし力　アナログ知のポテンシャル

第1刷　　2020年5月15日

編著者	淺間　正通　　Masamichi Asama
発行者	南雲　一範
発行所	株式会社　南雲堂
	〒162-0801　東京都新宿区山吹町361
	NAN'UN-DO Co., Ltd.
	361 Yamabuki-cho, Shinjuku-ku, Tokyo 162-0801, Japan
	振替口座 : 00160-0-46863
	TEL:　　03-3268-2311（営業部：学校関係）
	03-3268-2384（営業部：書店関係）
	03-3268-2387（編集部）
	FAX:　　03-3269-2486
	E-mail: nanundo@post.email.ne.jp
	URL:　　https://www.nanun-do.co.jp/
編集者	伊藤　宏実
組　版	堀田　華
装　丁	NONdesign
印刷所	恵友印刷
製本所	松村製本所

＜検印省略＞　　　　　　　　　　落丁・乱丁本はお取り替えいたします。